韓国という鏡

新しい日韓関係の座標軸を求めて

緒方義広

高文研

韓国という鏡 ◉ 目次

III 苦悩する韓国社会

IV 韓国という国のかたち

韓国へのまなざし

「はじめに」にかえて

私にとっての韓国

一九九七年、私は、大学の短期交換留学制度を通じ初めて韓国を訪れ、二〇〇〇年代前半から韓国での生活を本格的に始めた。語学留学だった当初は、聞き慣れない韓国語の音はもちろん、目の前のあらゆるものが新鮮に映った。その後、私は大学院に進むと同時に、日韓関係のさまざまな現場に関わり、そのおかげで韓国の大学に職を得るようにもなった。また、現地で結婚し子育てまで経験するようになって、以前は新鮮だったことも少しずつ当たり前の日常に感じられるようになってきた。一方で職業柄、日頃から日韓を比較し説明することが多いため、新鮮味はなくなっても当たり前のことを当たり前として終わらせられない環境に置かれてきた。

私は約一二年間、韓国の首都ソウルにある弘益《ホンイク》大学校〈註1〉という芸術系で有名な総合大学に勤めた。韓国の学生たちの目線に立ちつつ、日本ならではの価値観や日本社会の視点を私なりに紹介・解説することが、日本出身の教員である私の役割だった。弘益大学は、第二外国語の少人数教育を行っていて、日本語のネイティブ教員が二〇名近くいる。私も十数年前、その一人として大学に採用されたのだが、徐々に、日本や日本企業への就職を考える学生たちを対象にした、日本の文化や社会、時事問題などの講義を担当するようになった。韓国の若者たちにとって「日本」は興味の対象でもあり、就職先としての選択肢にもなっている（第Ⅲ章一三五頁参照）。

一九九〇年代に韓国を初めて訪れたときはもちろん、私は約二〇年前、韓国留学を本格的に始めたときにも、まさか韓国とのつき合いがこれほど長くなるとは考えてもみなかった。この間、語学学習者をはじめ、大学院生、企業や市民団体のスタッフ、日本大使館の職員、大学教員と、韓国生活ではさまざまな立場を経験してきた。また、いち留学生から結婚を経て二児の親として、韓国の制度上で言うところの「多文化家族〈註2〉」の一員として、在韓外国人という生活者の視点からも韓国社会を経験してきた。いまは日本に戻り、韓国語や韓国のことを日本の学生に教えているが、久しぶりの日本生活よりも、ついこの間まで生活基盤のあった韓国の方が気楽と感じることの方がまだ多い。長い韓国生活のなか、仕事や子どもを通じ、韓国社会に受け入れられているという実感も少なからず持てるようになっていた。

しかし、いくら韓国社会に溶け込んだとしても、やはり自分が日本人であることに変わりはない。実際にそれを自覚する場面も少なからずあった。もちろん韓国や日韓関係の研究に携わっていたことも大きいが、いまとなっては、私にとって日韓は二者択一の対象ではない。日本社会の出来事も韓国社会の出来事も、もはやいずれも他人事ではない自分自身の問題なのだ。

私の生まれは神奈川県川崎市だ。高校まで市内の学校に通った。私自身も地元を離れてから知るようになったのだが、川崎と言えば、知る人ぞ知る多文化共生の「先進」都市だ。行政の支援をマイノリティーの施設に導入し、外国籍の永住者を公務員に採用するなど、全国に先駆けた先進的施策を進めてきた街である。最近では、在日コリアンの集住地域にヘイトスピーチをする目的で集まった排外主義者らを市民の力で追いやったことでも話題になった。二〇一九年にはヘイトスピーチへの罰則規定を定め、充分とまでは言えないまでも、マイノリティーに対する差別に毅然とした態度を示してきた自治体でもある。韓国でもマイノリティーや多文化共生の事例研究として川崎が取り上げられるなど、一部界隈ではよく知られた街だ。〈註4〉

〈註3〉

今思えば、川崎出身であったことが私を韓国へと導いてくれたと言える。あれは、高校三年生の春頃だったと記憶している。当時は自分がここまで日韓関係に関わるようになるとは思っていなかったが、韓国と日本の両方にルーツを持つ後輩とたまたま知り合ったことをきっかけに、在日コリアンについて本を読み、日韓関係についても知ることになった。学校帰りに立ち寄った駅前の本屋で初めて手にしたのが福岡安則の『在日韓国・朝鮮人―若い世代のアイデンティティ』(中公新書、一九九三年)で、私はこの本をきっかけに在日コリアンという存在について初めて頭で理解するようになった。日本社会の一員である在日コリアンの、特に若者たちが抱えるアイデンティティの葛藤を知り、同時にいつしか、日本と朝鮮半島の関係について考えるようになっていた。

当時は一九九〇年代前半で、香港の中国返還もまだなされる以前だった。今となっては本当に恥ずかしい限りだが、部活や学校行事に全力投球し高校生活を謳歌していた当時の私は、香港や台湾などを「中国周辺の地域」としてぼんやりと認識しているような程度だった。大韓民国（韓国）と朝鮮民主主義人民共和国（北朝鮮〈註5〉）についても同様に「中国周辺の地域」としてしか理解しておらず、オリンピックなどでよく「世界○○カ国と○○の地域が……」と解説される、何となく国とは呼べない「地域」があるのだろうな、という極めて浅い認識しか持ち合わせていなかった。もちろん学校では何かしらの形でそれらの地域について学んでいたはずだし、一九八八年のソウル五輪をきっかけに「第一次韓国ブーム」があったことなどを考えれば、単に無知の致すところだったと恥じるしかない。ただ、もちろん「韓流」などという言葉は当時なかったし、韓国や北朝鮮に対する日本社会の認識がいまとは明らかに異なる状況であった。

かつて「近くて遠い国」と言われた隣国は、韓流というブームを経たいま、「近くて近い国」などと表現されることもあるほど、韓国に関する話題は日本のメディアに連日登場するようになった。韓国についてメディアでは、政治経済から芸能ネタ、事故・事件など、もちろん、その話題は明るいものから暗いもの、軽いものから重いものまで実に様々な情報が、しかもこと細かに伝えられている。私が韓国に住んでいた当時から、日本のワイドショーなどで取り上げられた、微に入り細に入った情報を日本に住む友人から聞かされ驚くことが少なくなかった。日本に戻ってみて、韓国の食べ物が「キンパ」、「ポッサム」、「マッコリ」などとカタカナ語になって流通していたり、テレビの情報番組などに取り上げられていたりするのを見かけ、日本における韓国人気を実感している。日本における韓国関連の情報量はかつてと比べられないほどに増えており、まさに隔世の感を覚える。

韓国留学

私が韓国を初めて訪れたのは一九九七年の夏だった。高校の時の経験があったため、大学の第二外国語では朝鮮語を選択しようとしたものの、時間割が合わず中国語を選択していた。にもかかわらず、韓国の提携大学に行ける短期交換語学研修に軽い気持ちで応募すると、すんなり合格してしまった。当時は、それほど韓国留学が人気ではなかったということだ。そうして私は、韓国語を初めて学ぶことになった。約一カ月間の研修では、現地の韓国人たちと初めて知り合い、そして拙いそれぞれの外国語能力とボディランゲージを駆使し毎日のように語り合った。

私は留学に発つ前、文字だけは覚えておこうと、参考書を一冊買い求めハングルの綴りだけを頭に入れてから出発したのだが、生の韓国語に初めて接したときの感動はいまでも記憶に残っている。留学に旅立ったその日、韓国の金浦《キンポ》空港に降り立った。当時はまだ仁川《インチョン》空港ができる前だった。そして、空港からリムジンバスに揺られ滞在先の崇實《スンシル》大学へ向かう車中、隣の車線を走るタクシーのナンバープレートにあるハングルを何気なく読んでみたのが、生きた韓国語を解した初めての経験だ。「ㅅㅓ、ㅇㅜㄹ、あっ、서울（ソウル）！」、ソウルナンバーの車輌であることが分かっ

ただけのことだったが、そのときのちょっとした感動は、それから始まる語学研修の、いや、今に至る私と韓国との関係の本格的なスタートの〝号砲〟だった。その後、約一カ月にわたる留学中、決してまじめに勉強したわけではなかったものの、韓国という異国の空間にいたこと自体が、そのすべてが勉強であり貴重な経験になった。

約一カ月の語学研修プログラムが終わる頃、韓国語のレベルは、六段階のわずか一級が終わっただけであったが、当時の私は韓国語がかなり話せるようになった気分になっていた。かつて英語の現地研修も経験したことがあるが、言語学習において成功体験という「気分」がいかに重要かということを今になって強く実感する。その後、日本の大学に戻りごくごく平凡に卒業までの学生生活を過ごし人並みの就職活動をし、当たり前のように新社会人となった。しかし、韓国語に対する自信感がずっとあったように思う。それゆえだったのかもしれない。社会人三年目を迎える頃、当たり前のように社会人をやっていくことに疑問を抱いてしまった私は、それなりにいろいろと悩んだ末、いわゆる「脱サラ」を決行し、退職金を手に韓国へ渡った。今思えば無謀な、あのタイミングでしか実行に移し得なかったであろう大きな決断だった。

私が韓国留学を決意した二〇〇〇年代前半は、周囲から「なぜ韓国なの？」と不思議がられ、「拉致されないようにね」などと心配されるようなこともあった。しかしいままでは、韓国への認識は広まり、そのようなことを言われることはもうないだろう。まだ韓流が本格化する少し前の頃、ソウルにある延世《ヨンセ》大学付属の語学堂〈註6〉で一緒のクラスだった在日コリアンの先輩から、「韓国にルーツがあるわけでもないのに、こうやって韓国語を学ぶような子たちが増えたんだねぇ」と感慨深げに言われたことがある。一九八〇年代以前の気軽な韓国留学が難しかった時代を思い出していたのだろう。ところが、その後の韓流ブームによって、若い世代だけでなく幅広い世代の、そしてさらに多くの語学留学生が韓国を訪れるようになった。私のもとにも、「とにかく韓国で働きたいのだが、どうしたらいいか？」と助言を求める声が届くこともしばしばある。

私は、韓流ブームと入れ違いのように韓国へ渡ったため、当時の日本でのその盛り上がり具合をほとんど経験していない。しかし、私が韓国留学を始めて間もない頃から徐々に「韓国にいるんだよね？」と日本の友人・知人から連絡が入るようになったことで韓流を知るようになった。韓流ファンになった知人からの問合せはその内容が実に細かく、どうして日本で、しかも韓国語を知らない人がそんなことまでどうやって調べたのだろうかと驚いてしまうような情報を尋ねてくるので、当時は本当に不思議だった。

日本から続々と訪れる「ヨン様ファン」の話を理解するために、私も「冬ソナ」こと「冬のソナタ」というドラマが一体どんなものなのかと全編収録のＤＶＤを手に入れ鑑賞した。韓国での「冬ソナ」は日本におけるほどの反響があったわけではなかったので、その日本での爆発的な人気を不思議がる韓国の人たちも多かったが、私は実際に全編を通して観てみて日本での人気が理解できるような気がした。「初雪の日のファースト・キス」や「雪玉のなかにプレゼントのネックレスを隠しておく」といった、日本では忘れられてしまったような純粋さや、「愛する人にはお互いの心が一番のいい家じゃないですか」といった、日本語では歯の浮いてしまいそうな、韓国語の世界ならではの直接的な感情表現など、なるほどと思える鑑賞ポイントがあるのだなと、私なりに納得したものだ。その実、韓国語の勉強という口実で私も寝る間を惜しんで一気に観てしまった。

当時は韓国留学をするなどと言っても、脱サラをしてまでなぜ？　と訝しがられるだけだったのが、韓流ブーム以降は韓国に住んでいることそれ自体を羨ましがられることの方がむしろ多くなった。ただ、韓流ブームを経験したこともなければ、そもそも韓国好きが高じて韓国の生活を始めたというわけではない私にとって、韓国に住んでいることを羨ましがる人たちが突然増えたことに、少々の戸惑いを感じたのも事実だ。特に当初、メディアを通してのみ知ることのできた韓流ブームに実感を持つことは難しく、韓流ブームに乗って韓国を訪れる人たちは一部の特別な人たちだとすら思っていたからだった。

しかし、いまでは「韓流（かんりゅう）」という言葉がハングルの発音どおりに「韓流（한류：ハルリュー）」と表現されるようになっていることからも分かるように、日本社会に韓国文化が本格的に浸透してきている。いまや、日本のテレビでも日常的に韓国のコンテンツが見られるよ

うになり、韓国をより身近に考える人が増えている。かつての日韓関係とはもう違うのだと実感することは多い。

しかしその一方で、日本における韓国や朝鮮半島への視線に、まったく変わっていないと感じる側面もある。実はそのことが、私がこの本を書きたいと思ったその動機でもある。また、私が留学を始めた当時、韓国に行って韓国のことを知りたいと思った、そのきっかけでもあった。

日本における韓国理解への疑問

私が、韓国留学を決意するひとつのきっかけになった出来事がある。二〇〇一年に9・11同時多発テロが起きたのを受けて、米国のジョージ・W・ブッシュ大統領は二〇〇二年一月の一般教書演説で、イラン、イラクとともに北朝鮮に対し、大量破壊兵器を開発・保持しテロを支援している疑いがあるとして「悪の枢軸（axis of evil）」と批判した。二〇〇三年三月には米国の先制攻撃によってイラク戦争が勃発する。一方、ちょうど二〇〇二年九月には小泉訪朝が実現した。北朝鮮がその会談の席で日本人拉致について認め謝罪したことで、日本社会における対北朝鮮感情は最悪のものになっていった。

そうしたなか、日本は米国の対テロ強硬姿勢に追随し歩調を合わせるだけでなく、テレビなどのメディアは北朝鮮を激しく批判した。いや、当時の私には北朝鮮を感情的にこき下ろしているように見えた。北朝鮮をめぐる情報には限りがあるため、憶測の域を出ない情報を含め、金正恩やその取り巻き、あるいは「喜び組」といった北朝鮮の女性たちを取り上げ、物見遊山の報道が連日続いた。その様子に私は少なからぬ違和感を覚えたのである。

もちろん北朝鮮による拉致事件は国家犯罪であり許されるものではない。また、被害者や家族のことを考えれば一日でも早い解決が果たされなければならないことに異論を持つ者はいないだろう。ただし、当時の私が感じた違和感は、そうした拉致問題解決への関心よりも、北朝鮮を叩くことそのものが目的になっているかのような雰囲気を感じてのことだった。一部の北朝鮮批判は、拉致問題を口実にした好奇心、あるいは優越感にもとづいたバッシングに過ぎなかった。

日本社会には、朝鮮半島の北側にルーツを持つ者や、その北朝鮮という国を自らの祖国と考え拉致問題に心を痛める在日コリアンが住んでいることを私は知っていたし、実際に私の周囲には、そうした日本社会の雰囲気のなかで息を殺しているだろう在日コリアンの友人・知人がいた。同じ日本社会の一員として、彼ら、彼女らのアイデンティティであり拠り所でもある国について、どうしてあのような態度を取れるのだろうかと、私は憤りすら覚えた。

また、日本は目と鼻の先に存在する北朝鮮に対し、太平洋を挟んだ遠い向こうから「悪の枢軸」と指さす米国と一緒に軽々しいことがなぜ言えるのだろうか、という強い疑問も覚えた。日本にとっての北朝鮮は、同じアジアの隣国として、米国にとっての北朝鮮とは明らかに異なるはずだ。

私は、日本にいてはやはり朝鮮半島のことを充分に知ることが難しいと考えた。そして、在日コリアンの友人をきっかけに始まった朝鮮半島への関心、日本と朝鮮半島の関係に対する疑問について、自分なりに深め、その答えを見つけたいと、私は韓国への留学を決めた。

インターネットの発達は韓流ブームと相まって、日韓間において膨大な量の情報アクセスを可能にした。それでも、日本にいる多くの人にとって、韓国を理解するためには、自身および日本の価値観や常識（と思われている社会通念）を基準にするのが当然の作法になるだろう。それは韓国に住む人たちの日本理解においても同様である。

体感できる地震がほとんど起きない韓国では、地震そのものを経験したことのない人がほとんどであるため、日本で起きた地震のニュースに触れた友人から、「日本人はどうしてあんなところに住んでいて平気なのか？」と不思議がられることもしばしばだ。地震を経験したことのない多くの韓国の人たちにとって自分の立っている地面が揺れるということは、想像の域を超えた出来事なのだろう。

一方で、私たちは異国である韓国や朝鮮半島の問題を自分たちの視点からのみ理解しようとしてはいないだろうか。現地の人たちにとって当たり前のことや、それなりの理由や経緯のあることを一方的な視点から価値判断し、批判したり「理解不能」であると断じてしまったりしてはいないか。あるいは身勝手な色眼鏡を通して分かった気になったりはしていないだろうか。

人は自身の経験をとおして新しいものを判断するものだ。それが最も手っ取り早くもあり最も実感をもって納得がいくからだろう。おそらく私も、常に日本をひとつの判断基準にして韓国を見てきた。しかし、現地の言葉を学び、時に現地の人々とぶつかり合いながらそのコミュニケーションの仕方を経験し、同時にその文化や歴史、社会について知っていくうちに、ニュースや本だけで理解していた韓国は、その一部に過ぎず、また自身が持つ既存のフィルターを通してのみ解していた姿ではないのかということに気付かされた。私が留学を決意した当初、現地に身を置くことで知りたかったこと、感じたかったこととは、そういうことだったのかもしれないと、いまになって思う。

一方でいま、北朝鮮に対する日本社会の敵視は外交安保上のそれを超え、朝鮮学校への差別や在日コリアンへの偏見を助長し、さらには韓国に対しても「反日」、「親北」、「未成熟な民主主義」などと、偏見に基づいた、実に短絡的な理解が目につくようになっている。高い関心はそれだけ日韓関係が近づいた結果とも言えようが、「嫌韓本」の流行やヘイトスピーチといった社会現象からは、この十数年の間に近づいたように見えた日韓関係に横たわる根本的な隔たりを感じざるを得ない。かつて北朝鮮叩きに興じた日本社会の偏向したある側面が、いまも様相を変え異なった形で、しかし根本的には同様の現象として表れているのではないだろうか。

日本では、「韓国は反日国家である」といった決めつけや、韓国は「無責任」だの「感情的」だといった、それこそ無責任で感情的な「韓国論」もどきのヘイトスピーチが書籍になっている。書籍だけでなくテレビには、日本の社会通念では理解しづらい韓国社会の様子を「反日」の一言で明瞭に解説したかのような顔をする「専門家」が登場しているのをよく見かける。

日本を基準にすれば、外国である韓国の文化に違和感を覚えることがあるのは当然のことだ。しかし、それらをすべて「反日」の一言で片づけてしまうのは正しい理解とは言えない。少なくとも韓国社会を一括りにして「反日」と捉えてしまうことは、単なる異文化理解の放棄ではないだろうか。いまの日本社会には、「嫌韓」ではないという体面を保ちながらも、韓国社会の問題点を「反日」と決めつけ批判し蔑むような言説が氾濫し容認されている。そもそも韓国社会が「反日」に支配されているという問題意識自体が、偏った情報に基づく間違った解釈であると、私は考える。

韓国社会を知るために

近年では韓国でも「嫌韓」という表現が随分と知れ渡っている。日本における「嫌韓ブーム」の異様さを韓国メディアが伝えるようになったからだ。韓国には「嫌日」本も「反日」本もほぼ見当たらない。日本を侮辱するような本が売れるような社会的風潮は、少なくともいまは市民権をほぼ失ったと言える。むしろ「『反日』は間違っている」と主張する『反日種族主義』（李栄薫《イヨンフン》ほか、二〇一九年）などという本がベストセラーになるほどだ。この本は歴史学の専門家たちから歴史認識に大きな問題があるとされ、韓国社会では「問題の書」として話題になった。そもそもタイトルからして学術書とは言い難い書籍なのだが、日本に寛容な態度を示すことがむしろ広く受け入れられるような土壌もあるということが分かる。この本は日本でもほぼ同時に出版された。その主張は植民地をめぐる問題について歴史修正主義の立場を補強するものとなったが、日本で多くの人々に歓迎され受け入れられた。

ソウルで生活していると、日本のニュースで日頃「反日」と騒がれているような状況を実際に感じることはほとんどなく、もし「反日」と言えるような出来事があっても、むしろそうしたニュースを冷ややかな目で見る韓国の人々が増えてきている。もちろん、日本の植民地支配を受けた韓国社会は、日本に関わる歴史問題について敏感にならざるを得ない。「大韓民国」政府樹立の前史として植民地支配からの解放があったのであるから、当然である。

韓国を表現するのに「ダイナミック・コリア」という言葉がよく言われる。良くも悪くも韓国社会は実に躍動的だ。そして、変化がとても早く激しい。韓国社会の対日認識はひと昔前のそれとはまったく違う。明らかに韓国社会は変わってきた。特に韓国の若い世代を見ていると、むしろ植民地支配責任の問題をはじめ、過去の問題に対する関心の低さが心配になるほどだ。私が日本文化や日本語の講義で日韓関係について言及すると、「そういう機微な話に言及するのはふさわしくない」などといったクレームが学生の方から出てくることすらあった。学生による学期末の講義評価では、「やはり日本人だから日本を擁護するような主張に不快感を覚えた」などといった感想を書き残す受講生もごく少数いる一方で、同じ講義を受けたはずの学生の多くは、「できる限り中立的な観点を提供しようとする姿勢に共感した」などといった感想をくれた。当たり前のことかもしれないが、個々人の反応は多様であり「反日」とひと括りにできるようなものではない。

では、巷でよく言われる韓国の「反日」とは一体何なのだろう。フェイクニュースが世間を騒がすようなご時勢、インターネット上には出鱈目な情報が氾濫しているのも事実だが、日頃のニュースがすべて虚構であるわけもない。日韓ともに、日夜誠実に取材し貴重な情報を提供してくれるメディアも少なくない。しかしその一方で、さまざまな媒体が伝える情報というのは、あくまでも断片的かつ部分的なものであり、社会の全体像ではないことに私たちは自覚的であるべきだろう。特にインターネットの検索やSNSを通じて気軽に入手できる情報などには偏りが生じやすく、さまざまな見方のある情報にいかに接し選別し咀嚼するかという情報リテラシーの重要性が、情報の受け手である個々人に求められているのがいまの時代だ。世の中で常識とされる見方ですら、偏った情報をもとに形成された認識である可能性は充分にあり、それを疑うことのできる姿勢が重要だ。

近年は紙離れ、新聞離れ、特に若い世代ではテレビ離れまでもが言われている。それは韓国も同じだが、それでもなお今の日本には、紙の新聞や地上波のテレビを情報源にしている人たちが多い。特に全国紙の記事や、あるいは地上波のテレビが流す情報には大きな信頼を置いているのが日本社会だ。それらの媒体が流す内容には信頼の置ける情報が多いというのも事実だろう。しかし、購読するひとつの新聞、日ごろ視聴するいくつかのテレビ番組からのみ得られる情報には偏りが出てくるのも当然ではないか。私は、すべてのメディアが客観的かつ中立的な情報だけを流しているというのは幻想に過ぎないと思っている。

私がここで伝えたいと考える韓国の姿もまた、膨大な量の情報群のなかの、とあるひとつに過ぎない。ただ、韓国社会を身近に観察し体験してきた私の目に映った韓国の姿を一人でも多くの人に知ってもらいたい。私が本書を通じて紹介する韓国の姿、情報が、日本における韓国理解の限界を超えるための材料として、少しでも意味を成すとすれば幸いである。

【註】

〈1〉韓国語では、総合大学を「大学校《テハッキョ》」、専門大学や短期大学、あるいは学部を「大学《テハッ》」と呼ぶ。ただし、本書では以下、一般の総合大学について日本語として「大学」と表記することにする。

〈2〉多文化家族とは、韓国国民と外国人により構成された家族のことで、政府による公的支援の対象となっている（第I章四二〜四九頁参照）。

〈3〉本書では「在日コリアン」という用語を使っているが、その呼称をめぐってはさまざまな議論がある（第Ⅰ章四九〜六六頁参照）。

〈4〉二〇一九年に制定、二〇二〇年に施行された「川崎市差別のない人権尊重のまちづくり条例」は、公共の場における民族差別の言動に対し、市の勧告や命令に従わない場合に罰金を科すことができるという刑事罰に踏み込んだ条例である。しかし、差別をどう認定し規制するのか、人権救済の視点が欠けている、規制だけで問題は解決しない、などと条例の限界も指摘されている。

〈5〉朝鮮民主主義人民共和国と日本は国交がない。しかし、国連加盟国でもある北朝鮮を外交相手として認める以上、当事国が望まない「北朝鮮」なる呼称を使用するのは非礼・不当である、「朝鮮」もしくは「共和国」と呼称すべきだとの指摘がある。ただし、本書では一般読者の可読性を考慮する視点から、日本社会の通例に則り「北朝鮮」の呼称を使用する。

〈6〉留学生を多く受け入れている大学には「語学堂《オハクタン》」と呼ばれる語学教育専門の施設が併設されていることが多い。一般の語学学校より信頼度が高く、韓国語を学ぼうとする外国人にとってはこの語学堂で学ぶのが最も一般的だ。

I 韓国という国の日常

韓国社会にとっての日本

「ニッポン」はお洒落？

二〇〇三年の「冬ソナ」に始まった韓流ブーム以降、日本において韓国のイメージは大きく変わった。韓国では一九九〇年代、当時の金大中《キムデジュン》政権によって進められた文化開放政策によって、植民地からの解放以降はじめて日本の大衆文化が韓国社会で公に受容されることとなった。非公式にはそれ以前からずっと、日本のアニメや音楽、映画などが韓国の人々に楽しまれてきていたが、文化開放政策は非公式に流布していた日本の大衆文化を公式なものにし、韓国社会において日本文化を堂々と、そしてますます広く普及させた。

例えば、一九八〇年代にテレビで放映されていた日本のアニメ「ガッチャマン」は、韓国でも「トクスリ（독수리：鷲の意味）五兄弟《オヒョンジェ》」として多くの子どもたちに親しまれたが、吹き替え版の放映だったため、大人になるまで「トクスリ五兄弟」が日本のアニメだということを知らなかったという韓国の人は多い。世界的にも有名になった日本のロックバンド「Ｘ－Ｊａｐａｎ」は韓国でも人気だが、その楽曲が韓国で公式に販売される以前は海賊版が出回り、正式な統計値はな

いものの、日本国内を上回る売り上げがあったとする専門家もいた。日本の大衆文化が韓国で公に認められるようになったことで、日本の文化が日本の文化として評価されるようになった。日韓関係の発展にとって日本文化の開放政策は、とても意味のある出来事だった。

韓国では、日本語を学んだことのない人でも日本語の一つや二つは知っていることが多い。いまや日本でも「アンニョンハセヨ?」くらいの挨拶は誰でも聞いたことがあるのと同じ、いやそれ以上かもしれない。「お元気ですか～?」――日本の大衆文化開放後初めて劇場公開された日本映画「Love Letter」(岩井俊二監督、一九九五年)は一九九九年に韓国で公開されて以来、二〇一四年に公開一五周年を記念し再上映されるなど、岩井俊二監督の名を韓国で日本映画の代名詞のようにした根強い人気の作品だ。劇中、中山美穂が扮する主人公の博子が北海道の雪景色を背景に叫ぶ「お元気ですか～?」のセリフは、二〇〇〇年代の韓国で、日本語を知らない人たちにも有名な日本語だった。この「Love Letter」以降、韓国において日本映画がひとつの人気ジャンルになったと言えよう。

ここ十数年の間に至っては、日本語や日本文化をおしゃれなもの、興味深いものとして楽しむ人たちも増えてきた。特に、日本旅行を経験した人々を中心に、日本の料理や日本風のお店などが人気を集めるようになった。日本のビールがコンビニでも手に入るようになり、日本語の看板を掲げた「イジャカヤ(이자카야=居酒屋)」では日本酒が飲めるようになった。「酒」、「ラーメ

ン」、「たこやき」など、日本語がそのまま使われた暖簾や提灯を掲げインテリアなどを日本風にし、それを売りにする飲食店も急速に増えた。

ところで、韓国には植民地期を通じて社会に定着した日本語が多い。「イッパイ（이빠이）」（目一杯、たくさん）、「マンタン（만땅）」、「シマイ（시마이）」（お終い、終了）など、いわゆる俗語の扱いだが、日常的に使われる言葉だ。意味は若干異なるが、「ユドリ（유도리）」（ゆとり、余裕の意味）、「ノガダ（노가다）」（土方、重労働の意味）、「ナシ（나시）」（袖なしのシャツ）などもよく聞く表現だ。「ソージ（소지）」（掃除）、「バケス（바께쓰）」（バケツ）、「エリ（에리）」（襟）など、地理的に日本と近く昔から日韓の間で人の往来が盛んだった慶尚道《キョンサンド》などの地域に、方言として残っている日本語も多い。ちなみに、いまでは日本でも通じるようになった「チジミ（찌지미）」は慶尚道地方の言い方で、ソウルの「パジョン（파전）」に当たる料理だ。在日コリアンの六割以上が慶尚道の出身とも言われるので、その地方の言葉が日本で広まったものと見られる。

さて、韓国の日本に対する認識は二〇〇〇年代に入って大きく変化したと言えよう。岩井俊二の映画やスタジオジブリの作品、「ドラゴンボール」、「スラムダンク」、「ドラえもん」、「アンパンマン」などの漫画やアニメは多くの韓国人がよく知る日本の大衆文化になった。二〇一六年にはソウルの中心街に、人気漫画「ＯＮＥ ＰＥＡＣＥ」の常設グッズ・カフェもオープンした。小さい子どもを持つ親の間ではベネッセの「こどもちゃれんじ」に出てくるキャラクター「しま

じろう」（韓国では「ホビー」）がよく知られている。リラックマやキティちゃんなどのキャラクターも、子どもに限らず幅広く人気だ。日本の大衆文化、特にアニメや漫画、サブカルチャーとなると、私など到底敵わない知識を持つ者は珍しくない。私が韓国で教えた学生にも、日本語学習のきっかけのひとつとして日本のサブカルチャーを挙げる学生は多かった。いまや韓国でも「ドック（덕후）」（日本語の「オタク」から派生した新造語）と呼ばれる、日本におけるオタクのような存在が少しずつ社会的地位を獲得し始めている。

二〇〇三年以降、日本では「韓流」が席巻したが、一方の韓国では「日流（일류：イルリュ）」という言葉が生まれた。また、日本のドラマ（日本《イルボン》ドゥラマ）は「イルドゥ（일드：日ドゥ）」と呼ばれ、アメリカのドラマ（美国《ミグッ》ドゥラマ）、「ミドゥ（미드：韓国語で米国は美国《ミグッ》）」とともにひとつのジャンルとして認知されている。ドラマに限らず、映画やゲーム、アイドル、小説など、日本のエンタメ・コンテンツは韓国社会に広く受け入れられている。

また、日本を引き合いにした若者言葉として、「ニッポン・ピㇽ（feel：韓国語の発音では「f」の音は「p」と同じになる）」という用語も一時期、日本っぽいファッションを肯定的に表現する際によく使われた。逆に、何でも無闇に日本が優れているとするような人たちのことを嘲るときに使われる「イㇽポン（일뽕：日《イル》ポン、「ポン」はヒロポン〈＝覚せい剤〉から転じてハマッてる、イッてるといった意味）」という隠語も生まれた。つまり、それほど日本を肯定的に捉える人々が韓国

ソウル・ホンデの街並

社会にも存在するということだ。韓国を「反日」の国とする理解がいかに浅はかなものかを端的に示す例だと言えよう。

私の勤務していた弘益大学はいわゆる四年制総合大学だが、芸術系の学部が特に有名なため、大学周辺にはデザイン、絵画、音楽、ファッションなどのアーティストや、アーティストを目指す若者が多く集まる。また、その自由な街の雰囲気からライブハウスやクラブも多く、以前からアンダーグラウンド文化の発信地のようなところだ。東京で言えば「下北沢」あたりをイメージしてもらえばいいだろうか。この「ホンデ（弘大）」と呼ばれる地域は、今やそれがひとつのファッションのようになっている。そのため以前のようなアンダーグラウンド感は薄れ、やや観光地化してしまったが、それでも若者たちが自己主張し個性を発揮する、自由な雰囲気のある街として若者に人気だ。

さて、このホンデに繰り出してみると分かるが、いまでは街中のいたるところに「日本」を見ることができる。日本語による道案内やお店のメニューがある、というのにとどまらない。お洒落なカフェ、個性的なファッション感覚の服屋などが日本語の看板を掲げている。さらに、日本の居酒屋を模した呑み屋「イジャカヤ」や、日本のラーメンを売るお店もあちこちに見られる。そうしたお店は、日本語を話す日本からの観光客を狙っているというわけではなく、韓国の若者を主なターゲットにしているのだ。日本語や日本風であることが若者を惹きつける要素になっているのである。

一九八〇年代の韓国を知る日本の人からは、かつては街なかで日本語を話していると、白い目で見られたり叱られたりしたものだという話を聞く。私が知る限りでも、十数年前の韓国では、日本語を掲げて営業する店が出現するなどということは想像すらできなかった。植民地期に日本語を押し付けられた歴史的記憶から、「日本語の看板などけしからん」という一種の道徳観ともいえる建前が存在していたからだ。

日本ではいまだに当時のイメージが残っているからか、「韓国」と言えば条件反射的に「反日」という言葉が頭に思い浮かぶ人も多いようだ。私がたまに日本に帰り地元の友人などと会うと、(それでもちょっと遠慮気味に)「どうなの、韓国って?」、「やっぱり反日なの?」と、韓国に住む日本人としての意見を求められることがよくあった。しかし、いまの韓国はそれほど単純な社会ではなくなっている。

もちろん今でも、植民地の歴史が絡めば日本に対する厳しい言葉が飛び出してくることはある。しかしその一方で、韓国にとって日本のあらゆる文化はどこかで常に憧憬の対象でもあり、模範でもあった。テレビのニュースなどでは、何か社会的に大きな問題や事件があると、海外の事例としてまずは日本の事情が紹介され比較される。日本で、比較対象として欧米の例などがよく引き合いに出されるように、韓国では日本がその比較対象である代表的な外国として認知されているのだ。欧米を例として取材するには地理的に遠く経済的でないといった事情もあるのだろうが、日本を引き合いに出し韓国社会の未熟さを嘆き批判するというひとつの典型パターンは未だによく使われている。

私が韓国の友人と日韓それぞれの社会問題について話をしていると、私は日本社会の現状を憂い、韓国の友人は韓国社会を悲観し、お互いに「韓国社会の方が希望を感じる」、「いや、日本社会の方が素晴らしい」と奇妙な言い合いになり、自分たちは何を言い争っているのだろうと笑うに笑えない経験をすることも少なくない。日韓関係に長く携わっている韓国の人ほど、日本の社会や文化、歴史などについてよく知っていて、時に日本のネトウヨ顔負けのニッポン礼賛に出会い戸惑うことも珍しくない。

韓国は日本を軽視し始めた？

ところが、二〇一〇年代に入って日本経済の停滞が終わる兆しを見せない状態が続くなか、「韓国は日本を軽視するようになった」という懸念が、日韓関係に携わる人たちから頻繁に聞かれるようになった。その背景には、日本が不景気に苦しむ一方で、韓国経済が大きく発展しサムスンなどの韓国企業が世界的にも注目されるようになったことや、世界で中国の存在感がますます大きくなり、韓国が中国に傾倒しているかのような態度を見せ始めていたことがあった。「サムスンがソニーを超える」といった記事が日本の週刊誌に登場したのが、ちょうどその頃だ。

また、二〇一二年、当時の李明博《イミョンバク》大統領による「独島《トクト》（竹島）上陸」(註1)や「日王《イルワン》（天皇）謝罪要求発言」(註2)などに見られた韓国側の態度が、日本軽視の態度を裏付けるようでもあった。二〇一三年以降は、朴槿恵《パククネ》大統領が「慰安婦」問題をめぐって強硬な姿勢を見せたことなどから、日韓それぞれのメディアで日韓関係は史上最悪と評され、その未来を悲観する空気が生まれた。さらに二〇一九年には、「徴用工」問題をめぐって、やはり日韓関係は史上最悪の状態を更新した。

二〇一〇年代は、米国経済の停滞とあいまって世界的に中国の存在感が大きくなり、韓国ではしきりに米中二強、「G2」の時代が到来したと騒がれた。そうしたなか、二〇一一年には3・11東日本大震災をきっかけに日本への渡航を避ける風潮が韓国で高まった。地震への恐怖心もあったが、何よりも原発事故による放射能漏れへの懸念と不信が大きかった。当時、東京に留学していた韓国の学生たちのなかには勉学を中断し完全帰国してしまうケースもあった。本人は日本に留まりたくても親の心配を考えるとやむを得なかったという学生もいた。韓国から日本への観光客数も、事故のあった二〇一一年には、前年度の年間二四三万九八一六人から一六五万八〇七三人へと三二％激減した。

日韓間では放射能汚染を理由にした輸入規制〈註3〉などでも意見の相違が見られるが、韓国ではたとえ自国の政府が保証したとしても、日本国内でも充分に伝えられているとは言えない日本政府の調査や説明の様子が韓国に伝わっており、韓国国民の信頼を得るには至らなかったようだ。信頼に足る情報がなければ、目に見えない放射能を恐れるのも無理はない。

訪日韓国人の数だけではない。韓国では3・11の年を境に日本語学習者数が大きく減少した。二〇〇八年に開催された北京オリンピックの際に盛り上がった中国語熱の煽りを受けて、日本語学習者の減少傾向に拍車がかかった形だ。日本語の実力を測る世界的な指標の日本語能力試験（JLPT）では、年間受験者数が二〇一〇年の九万三九九四人から、二〇一一年には八万四二四一人へと減少し、二〇一五年には五万四二六六人にまで減少した。日本語学習者の総数では、二〇一二年度調査の八四万一八七人から二〇一五年度調査の五五万六二三七人と、二八万人以上が減少したことになる（国際交流基金「海外日本語教育機関調査」）。韓国の大学入試科目のうち第二外国語から日本語が除外されるという噂も一時期ささやかれた。これまで日韓関係に関わって来た人々、特に政府関係者の間では、「韓国が日本を軽視している」との懸念をさらに強くさせる根拠にもなった。

確かに、中国の存在を強く意識し始めた韓国の態度に変化があったのは事実だろう。日本との首脳会談を一度も行わないなか、朴槿恵大統領は二〇一三年に中国を初訪問し、中国語を織り交ぜて演説、二〇一五年には中国で行われた「抗日戦勝七〇年記念」の軍事パレードに出席するなどした。日本では、韓国が中国に傾倒していると強い警戒感が示された。一連の出来事は日本における韓国への懸念を助長し、日本軽視への警戒心となって表れた。

しかし、韓国の中国への傾倒については、ＴＨＡＡＤ（高高度ミサイル防衛システム）配備をめぐる中韓関係の悪化を例にとるまでもなく、そう簡単に考えることはできない。北朝鮮問題を抱える韓国が対米・対日関係をないがしろにするようなことはできないからだ。二〇一二年には訪日韓国人の数も増加に転じ、ＪＬＰＴ受験者数の減少も二〇一五年に底を打ち再び増加に転じている。そもそも学生の場合は、二〇一一年の当時から本人たちよりも保護者たちの放射能に対する心配が大きかった。二〇一一年三月以降の訪日外国人数を見れば、その激減傾向は韓国人だけに見られたものではなかったこともよく分かる。

二〇一五年頃に減少傾向が底を打った日本語の学習者数については、そもそもの懸念が過剰だったと思われる。かつてに比べ中国語の人気が高くなったと言っても、日本語が中国語に逆転を許したわけではなく、韓国における日本語学習者は圧倒的多数だ。韓国では中学・高校で第二外国語の学習が行われるが、3・11直後の二〇一二年度でも、高校の第二外国語として日本語を選択している生徒が三三万人以上（六〇・一％）と、一八万人（三二・六％）の中国語を引き離してダントツの一位だった。JLPTの受験者数が最も減った二〇一五年の統計を見ても、世界で最も日本語教育機関が多いのが二八六二カ所の韓国（全世界の一七・七％）であった。

二〇一〇年代になって日本語学習者の減少が危機感をもって語られ始めたのは、そもそも特異な基準を前提にしていたからだ。過去との比較において日本語学習者に相対的な減少が見られたことだけをもって韓国社会が日本を軽視するようになったとしたのはやはり言い過ぎであっただろう。ただ、かつての特異な市場のなかで日本語教育に従事していた人たちやインフラは、日本語学習者の減少、つまり需要低下によって供給過多になってしまったのだ。だから、日本語教育の業界として大変なことであったのは間違いない。ただ、そうした状況を「韓国が日本を軽視するようになった」とし、「けしからん」とする評価の根底には、韓国社会に対する「甘え」とも言える過度な期待があったのではないかと考える。

ある調査によると、韓国における日本語学習経験者は七一・九％にも上り、日本語会話がわずかでも可能な人は四〇・七％、「三人集まったら一人は日本語会話が可能な人がいる確率」は七九・一％にまで上るという（電通と国際交流基金の二〇一六年共同調査、「多言語対応ＩＣＴ化推進フォーラム」での発表）。韓国生活における実感としても、日本語を少しでも解する人と出会う確率はとても高く、多くの韓国駐在日系企業は、日本語に熟達した韓国人スタッフたちに支えられている。一〇年以上も韓国に駐在しながら韓国語を話さない人もいるが、それでも支障がないというほど、韓国は日本語の環境に恵まれている。

学びやすい日本語

ところで、同じ漢字文化圏の韓国においてなぜ中国語よりも日本語なのか。もちろん韓国には、日本による植民地支配の下で強要され日本語が堪能になった年配の方々が多いということもある。しかし、若い世代の韓国語ネイティヴにとっては、端的に言って、中国語に比べ日本語は圧倒的に易しく学べる言語だからというのが最も大きな理由だろう。私の勤務していた弘益大学（学生数約一万八千人）では毎学期、約一八〇〇人の学生が、卒業要件でもある第二外国語として教養日本語の科目を受講していた。ピーク時に比べれば日本語学習者が減ったのは事実だが、それでもまだまだ人気は健在だという。私が担当していたいくつかの日本語科目では、授業の初めに「なぜ日本語を第二外国語に選んだのか」を訊ねることにしていたが、特に日本語を初めて学び始める学生に多いのが「日本に対する親近感」、そして「日本語は簡単そうだから」という理由だった。

実際、韓国語ネイティヴにとって日本語は学びやすい外国語だ。英語や中国語のような「SVO／C（主語・述語・目的語／補語）」ではなく、「SO／CV（主語・目的語／補語・述語）」の順に並ぶ文法構造は、韓国語と日本語で共通だ。今でこそ韓国では漢字が日常的に使われなくなってしまったが、韓国語（朝鮮語）には漢字に由来する単語が多く、日本語と同じような発音をするものも少なくない。例えば、「無理」、「余裕」、「準備」といった単語などはお互いにそのままの発音でほぼ通じる。主語に続く「は」や「が」といった助詞の使われ方もかなり似ているため文のニュアンスも理解しやすい。つまり、単語を覚えてひとつひとつ韓国語から置き換えるだけでもかなり立派な日本語になり得る。外国語としての英語や中国語を話すときのような頭の切り替えができなくてもある程度まともな日本語になるのだ。また逆に、このことは日本語ネイティヴにとっての韓国語学習でも同様に言えることである。言語学上、韓国語と日本語は異なるルーツを持つとされることもあるようだが、一般の人びとにとって日本語と韓国語はほぼきょうだいのような言語に感じられる。

しかも日本語の場合、発音については（おそらく世界的に見ても）複雑でないため、韓国語ネイティヴにとって聞き取れなかったり発音がうまくいかなかったりということが極めて少ない。レベルが高くなってはじめて漢字や敬語（特に謙譲語）をマスターするのに苦労するのが一般的だ。

ただ、敬語に関しては、「お疲れさまでした」、「こちらでよろしかったでしょうか」、「こちらになります」のように文法的には奇異でもすでに市民権を得たようなアルバイト日本語や、「〜させていただきます」の連発といったビジネス日本語など、日本語ネイティヴでも難解な表現もあるわけで、やはり韓国の人たちにとって日本語は学びやすい外国語であることに間違いはない。

逆に、日本語ネイティヴにとっても韓国語は学びやすい外国語なのだが、残念なことに韓国語の発音は難しい上に意思疎通において重要であるため、会話ということになると初級レベルから苦労することになる。その代わり、韓国語は難しい言葉が漢字に由来する場合が多いため、難易度の高い単語をマスターするのは日本語ネイティヴにとって有利だ。韓国語は漢字に由来する単語が日本語よりも多いと言われており、韓国語による漢字の発音にある程度慣れてしまうと、初めて見るハングルの単語でも何となく漢字が頭に浮かび意味が把握できてしまうことも多い。そういう意味では、表音文字の言語を母語にする英語圏の出身者など、表意文字である漢字に慣れない外国出身者にとって、韓国語や日本語をマスターするのは実に大変なことなのだろうと思う。

似て非なる日本と韓国

一方で、言語的には非常に似通った日韓両国だが、韓国に住む日本の人たちは、情緒の部分ではかなり異なった文化を知ることになる。もちろん欧米などに比べれば同じアジア文化圏ではないかということになるのだが、お互いに「似ている」という期待値（あるいは先入観）が高く強い分、異なることに対し無頓着であったり無意識だったりして、その結果、お互いに余計な反感や不信感を抱いてしまっていることが多いと感じる。

日韓の言語学者（任栄哲・井出里咲子）による『箸とチョッカラク』（大修館書店、二〇〇四年）という本に、ある面白い研究結果が紹介されている。日本語ネイティヴと韓国語ネイティヴの対話の仕方、特に聞き手側のあいづちに注目し調査を行ったところ、韓国語ネイティヴは自分の意見と同意の発話に対して多くあいづちを打ち、日本語ネイティヴの場合は逆に、自分の意見と不同意の発話に対して多くあいづちを打つ傾向が見られるというのだ。つまり、私たち日本語ネイティヴは自身の意見と異なる相手に対してより頻繁にあいづちを打っているというのだ。

私もこの本を読んでとても驚いた。自身の意見と異なる主張をする相手に対し、本来は同意を示すはずのあいづちをより頻繁に打つというのだ。日本語ネイティヴによるこの行動パターンは、異なった意見の持ち主であっても相手の立場への共感を示すことにより、話しやすい雰囲気を作り出す「場」への配慮である、というのがこの本の分析だ。「あいづち美人」、「聞き上手は話し上手」といった日本の美徳はまさに、日本語話者特有の対話文化を示していると言え、韓国語による対話文化との大きな違いと言えよう。

文法構造が非常に近い日本語と韓国語だが、こうした文化の違いがトラブルの要因になる。こんなエピソードがある。日本から来た女子留学生に好意を持った韓国の男子学生が、その女子学生のことを何度となく食事に誘うのだが、当の彼女は笑顔を見せつつも「忙しい」などとことごとく断り続けた。日本であれば女子学生の気持ちを察して諦めるのが常識なのかもしれないが、韓国には「一〇回切って倒れない木はない」という言葉があるように、その男子学生が察して諦めることは決してなかった。双方と交流のあった私は、断れないでいる女子学生の気持ちを男子学生にそれとなく伝えたのだが、彼女の戸惑いの笑顔を好意の表れだと信じて疑わない彼は、私の忠告こそ勘違いであると、最後までまともに取り合わなかった。

　日本から来たその女子留学生にとって、その韓国の男子学生はストーカーのような存在として記憶されてしまったことだろう。「主張しない日本人」だとか「強引な韓国人」といったことは日韓間でよく言われることでもあるが、こうした違いはどちらの方が良い悪いといった問題ではない。日韓ではコミュニケーションの仕方が異なるということなのだ。ただし、近年の韓国では、男性による男女間のこうした我田引水な態度は、時に性的ハラスメントや性暴力として問題視されつつある。

　私は日頃から、日本語を学ぶ韓国の学生たちに、韓国とは異なるこうした日本の情緒や文化、さらには社会の仕組みについて充分に理解することを勧めてきた。日本語の上手な韓国の人は実に多いが、本当の意味で日本語が上手になるためにはそうした努力が必要だと感じるからだ。これは当然ながら逆も然りで、本当の意味で韓国語を学ぶということは、その文化的な背景に対する充分な理解が伴う必要があるだろう。

さらに、こうしたコミュニケーション方法の違いというのは、物事への眼差し、社会的な価値観など、あらゆる面にも反映されており、また逆に社会的・歴史的な背景が言語にも影響を与えている。日韓双方の交流がこれまでにないほど盛んになっているいま、発音の良さや言葉の流暢さといったことに留まらない、より深いコミュニケーション能力がますますその重要性を増しているのではないだろうか。私はむしろ、言葉そのものの流暢さや饒舌さよりも、真のコミュニケーションにおいて、文化的背景に対する理解の方がずっと重要なのではないかと考えている。

排除と寛容の社会

「多文化」化する社会

韓国と言えば、「パルリパルリ（빨리 빨리）！」――「早く早く！」。良く言えば「思い立ったらすぐに始める推進力」、悪く言えば「せっかちで大雑把になりがちなところ」。韓国の人たちも

よく言う、ひとつの韓国文化である。「石橋を叩いても渡らない」などと揶揄されることもある日本の文化に比べると、韓国の「パルリパルリ」の精神はますます際立つ。

韓国に長く住むなかでそれを実感するエピソードには事欠かない。例えば、道路の信号だ。日本では歩行者の信号が赤になってから少し間を置いて車の信号が青になる。ところが韓国では、歩行者の信号が赤に変わるのと同時に車の信号も青になる。それだけでなく、信号待ちの車はやや フライング気味に発進するため、歩行者は点滅しもうすぐ赤になろうとする信号では、車に注意しながら、というより小走りで道を渡らなければならない。歩行者の信号が赤になった瞬間に車の信号は青になっているため、横断歩道上であっても危険な目に遭いかねないのだ。

日本では長い待ち時間が常態化しているようなところも多い大病院・役所であっても、韓国で私はそれほど長時間待たされた経験がない。これは私に限らない、韓国駐在の日本人たちの間でよく共感するポイントだ。韓国企業の意思決定の早さや（過程はともかく）何とか帳尻を合わせてくる、時として強引なまでの瞬発力は、良くも悪くも日本から来たビジネスマンを驚かせる。

「パルリパルリ」の精神は日常生活やビジネスの場面だけではない。社会の変化も実に早い。私も韓国の首都圏に二〇年近く住んだ外国人としてそれを実感するのは、ここ十数年の間で外国人に向けられる視線が大きく変わったことだ。以前は、韓国語を話す外国人だと分かると珍しがられたり好奇の的になったりしたものだが、最近では大した反応も示されないことが増えた。特に私の勤務地だった「ホンデ」は外国人の多い街でもあり、さらに私の場合は容姿のみで外国人と判断されることはほとんどないため、お店や病院などで韓国語ができるかどうかの確認もなく現地人とまったく同じ対応をされることが当たり前だった。

テレビにも外国出身のタレントや一般人が毎日のように登場する。流暢な韓国語を駆使する外国人が何人も登場し、社会問題について議論する「非正常（非首脳）会談」（二〇一四～一七年、JTBC放送）や韓国に定着し奮闘する外国出身者を紹介する「隣の家のチャールス」（二〇一五年～KBS放送中）、結婚移民を主人公にした「ラブ・イン・アジア」（二〇〇五～一五年、KBS放送）、外国出身女性と韓国人姑の葛藤などを描いた「多文化嫁姑列伝」（二〇一三～二一年、EBS放送）、「多文化・サラン（愛）」（二〇一三～一五年、EBS放送）、「多文化希望プロジェクト・私たちは韓国人」（二〇一〇～一四年、MBC放送）といったエンタメ、ドキュメンタリーなど、「多文化」をテーマにした人気テレビ番組が多く放送されている。

英語の多文化主義（multiculturalism）から来た「多文化」という用語が韓国社会で頻繁に取り上げられるようになったのは二〇〇〇年代に入った頃からのことだ。韓国社会が、「単一民族」や「純血主義」を強調することよりも、自ら「多文化」を標榜するようになったひとつのきっかけがある。二〇〇六年、米国アメリカンフットボールNFLの祭典、スーパーボウルでMVPに輝いたスーパースター、韓国系米国人のハインズ・ウォード（Hines E. Ward, Jr.）の韓国訪問だ。

ウォードは、韓国人の母親と在韓米軍人だった父親の間に生まれ、ピッツバーグ・スティーラーズのワイドレシーバーとしてスーパーボウルで活躍した後、母親の故郷に「凱旋帰国」したのだった。米国のスーパースターだという理由で、韓国にルーツはあるものの米国人である彼のことを「韓国人だ」として大騒ぎする様子には、韓国社会のご都合主義な側面も指摘できるが、韓国を多文化社会であるとする認識がそれをきっかけに広がった点については肯定的に見ることもできるだろう。

韓国に在留する外国人の数は、一九九二年の六万五六七三人（人口比〇・一五％）から二〇一二年の一四四万五一〇三人（二・八％）へと、一〇年の間で約二二倍に膨れ上がった。一九九〇〜二〇〇〇年代、韓国では若年層の高学歴化にともなう製造業・建設業・農林漁業分野の労働力不足を背景に、日本に倣った外国人産業研修生制度が導入されると、低賃金の労働力として単純技術労働者が大量に受け入れられ始めた。また、日本と同様、少子化と女性の社会進出が進み、男性の結婚難が深刻化するなか国際結婚が増え、中国同胞（朝鮮族）をはじめとする在外同胞移民を優遇する出入国管理制度が整備されて、在留外国人の増加は急速に進んだ。

韓国の在留外国人の数は二〇二〇年からのコロナ禍によって減少したものの、直前の二〇一九年時点で、二二一万六六一二人、人口比で四・三％に上る。日本の場合、同時期の統計によれば在留外国人が二九三万三一三七人と、人口比で二・三％に過ぎないことを考えると、韓国において外国人に対する理解が進まざるを得ない多文化社会の様子が窺える。

「多文化」化が進んだ韓国では、二〇〇〇年代中盤、在留外国人を取り巻くさまざまな社会問題が表面化する。例えば、移住労働者たちへの賃金未払いや劣悪な労働環境、人権侵害、また、国際結婚がもたらす文化摩擦やそれにともなう差別の問題などだ。悪質な結婚仲介業者も登場し、韓国人男性本人、あるいはその家族が抱える健康問題や借金などを隠したまま婚姻手続きが進められ、韓国に来て初めて自分の置かれた状況を知るといった外国出身女性もいたという。結婚移民の女性が夫の韓国人男性に暴行・殺害されるという凄惨な事件も起き、韓国語による意思疎通の問題や、文化の異なる外国出身女性が封建的な家庭に入ることで起きる衝突やDV（家庭内暴力）の問題は世間の大きな関心を集めた。

一方で政府は、問題の多かった産業研修生制度を雇用許可制へと移行させ（二〇〇三年）、在韓外国人処遇基本法（二〇〇七年）、多文化家族支援法（二〇〇八年）を通じ外国人定住者についての法体制を整備した。産業研修生制度は、「技術研修」の名のもとに企業による労働搾取の横行を許しかねない制度であるとして、日本でも近年ようやくその構造的な問題が社会的に注目を集めるようになった。しかし、その問題点は専門家の間でかなり以前より指摘されてきており、韓国では二〇〇〇年代初めにはすでに問題の改善が図られたのである。依然として、外国人労働者の権利擁護が不十分であるとして批判も多いが、政府が雇用主である企業を一定程度統制することのできる雇用許可制に移行し、より劣悪な産業研修生制度を廃止したのであった。

また、多文化家族支援法に象徴される韓国の多文化政策は、地方自治体の多文化家族支援を義務化し、全国に二〇〇カ所以上の多文化家族支援センターを運営するようになった。韓国社会はもはや外国人を管理・統制の対象としてではなく、社会の一員としていかに受け入れていくかという、社会統合の対象と見做す、つまり日本で言われるところの多文化共生が実践される時代へと進んでいるのである。

同化と多様性の葛藤

問題が認識されるや「パㇽリパㇽリ」の精神によって素早く進められた多文化政策によって、韓国社会における外国人への視線は以前と比べて大きく変わったが、その多文化政策は問題点も多く指摘されている。支援政策が対象とする結婚移民の家庭を「多文化家族」と呼ぶが、実はこの多文化家族には外国籍同士で結婚したケースや独身の外国人は含まれない。支援事業の中心は韓国語や韓国文化・慣習の習得とサポートであり、外国から来た者が韓国社会に適応できるようにすることが目的であるはずだ。にもかかわらず、韓国籍者と家族を構成していることが支援対象の条件になっているため、多文化政策ではなく韓国文化への同化政策に過ぎないのではないかとの批判がなされているのである。韓国における多くの国際結婚が、韓国の男性と外国の女性というパターンであるため、女性を家族に従属させる政策だとの批判もある。

また、多文化政策が進められた当初の盧武鉉《ノムヒョン》政権による問題意識には、人権保護の観点から、その支援対象に「不法」とされる未登録在留外国人も視野に入れられていたが、その後の政権下では「社会統合」や「国益」といった価値観のもとに秩序や安全を強調することで、未登録在留外国人がその対象から除外された。また、若年層の就職難や社会的経済格差の問題が解決されないなか、少なくない財源が充てられている多文化政策に対する社会一般の視線も厳しい。

二〇一二年、映画に出演するなど韓国社会で成功を収めたフィリピン出身の李ジャスミンが、当時の与党、セヌリ党から「帰化者」として韓国史上初の国会議員（比例代表）になった。これは韓国の「多文化」化を象徴する出来事であったが、彼女にはインターネットを中心に酷い誹謗中傷が相次いだ。特に国会議員を特権階級のように考える一部の人々からは、「国民の税金をなぜ外国人に支払わなければならないのか」、「金儲けのために韓国に来た」といった、事実に反した根拠もない憎悪の発言（ヘイトスピーチ）が浴びせられた。彼女が未登録在留外国人の子女に対する権利保障を盛り込んだ法案に賛同した際にも、「自国（フィリピン）のための法案を通そうとしている」、「韓国が不法外国人に乗っ取られる」といった、やはり的外れな批判が彼女に集中した。彼女への批判には、彼女が韓国よりも経済的な「後進国」からやってきた移民であったことも大きく作用していたように思われる。

李ジャスミン議員に向けられた人種差別的な批判からも、韓国社会に外国人に対する差別意識が未だに残っていることは否定できない。外国人の受け入れを国益と結び付けた国家中心の発想も危険である。「パルリパルリ」と進められた多文化政策にはまだ理想とかけ離れた部分も多く、批判があるのは当然だ。

一方で、ここ十数年の変化を見ていると、国民感情の起伏を含め様々な議論があるなかで、試行錯誤を重ねながら大雑把であった政策が少しずつ改善されてきているのも事実だ。根強い差別意識があることは否定できないものの、現実として外国人が増えるとともに、海外留学に積極的な若者たちや在外同胞の存在を通じて国際社会との接点もますます広がっている。人々の意識に異文化を受け入れる素地は少しずつできているのもまた事実だ。まだまだ外国人に対する排他的な側面があり、ときに排外的な人種差別の顔を見せる韓国社会ではあるが、ついこの間まで外国人として韓国社会に住んでいた私の実感として、外国人に対する韓国社会の理解は少しずつではあっても進んでいることに間違いはない。

在外同胞七三二万人

韓国は多くの移民を送り出してきた国でもある。韓国では、海外に住み朝鮮半島にルーツを持つ者のことを「在外同胞」、「海外同胞」、「僑胞」、「僑民」などと呼ぶ。韓国外交部（日本の外務省に相当）による二〇二一年の統計では、全世界に約七三二万人の「在外同胞」がいるとされている。

韓国は、日本の植民地支配にはじまり、南北分断や独裁政権下による民衆弾圧などを背景に、少なくない人々が海外に移り住んだ歴史がある。また、一九七〇年代には政府が主導し、経済発展のひとつの手段として、人口抑制と外貨獲得の観点から国民に海外移住を促す政策を取った。その結果、韓国は世界各地に多くの同胞を抱える国となった。二〇〇〇年代に入ってからは、よりよい生活を求め移民という選択肢を取る者たちも増えた。一時期、高級マンションブランドが「移民に行かないで！（이민 가지마세요！）」というコピーのテレビCMを制作し話題にもなったほどだ。私の周囲でも英語圏を中心に海外に家族や親族が住むという韓国人は少なくない。

在留外国人の増加には、そうした海外移民の子女である在外同胞の韓国「移住」も少なからず含まれており、在留外国人の約二四％（約四七万人）を占めている（二〇二二年度、韓国法務部統計）。在外同胞の多くは海外に渡り定住する過程でその国の市民権や国籍を取得し、多くの場合、法的には「外国人」となるからだ。もちろん、移住した時期や世代、育った環境などによっては在外同胞とはいえ韓国語を話さず、法的な地位のみならず韓国の文化的な背景を一切持たないような者も少なくない。ただ、韓国政府は外国人の出入国に関連して在外同胞を優遇している。在留外国人の中に一定程度の在外同胞が含まれるのはそのためだ。

そうした在外同胞のうち、日本に住む在外同胞、つまり在日コリアンは約八二万人（うち日本国籍者が約三八万人）とされており、その数は世界に広がる在外同胞のうち、在米同胞（約二六三万人）、在中同胞（約二三五万人）に続いて第三位を占める（二〇二一年統計）。ただし、在日コリアンは在外同胞約七三二万人のなかでも特殊な同胞と言える。在外同胞は地域や世代、さまざまな条件によってそれぞれの背景を抱えており、日本の植民地支配により朝鮮半島からの移住を余儀なくされたという歴史性は、在中同胞である中国朝鮮族や高麗人と呼ばれる旧ソ連地域出身の同胞、そして在日同胞、つまり在日コリアンに共通する。しかし、在日コリアンは植民地支配の「宗主国」であった日本に住む同胞であるという点が異なっており、さらに、その法的地位に関して、朝鮮半島の南北分断と、植民地からの解放後に構築された日韓関係に由来するという点から複雑である。

韓国社会が持つ在外同胞のイメージは、中国の少数民族として生きる朝鮮族か、あるいは経済的な理由などにより韓国を離れた米国移民、そしてその子どもたち（韓国系米国人）をひと括りにした在米コリアンがその中心だ。在外同胞のイメージは、移民後間もない一世を除けば、韓国籍を持たず現地の国籍を持った韓国系の外国人ということになる。ところが、在日コリアンの場合、日本国籍を取得した者を除けば約四四万人が韓国籍あるいは朝鮮籍を持ち、二世、三世、四世と代を重ね日本に定住しながらも日本国籍を取得していない。ひとつの家族のなかに韓国籍、朝鮮籍、日本国籍など異なった「国籍」を有している場合や、複数の国籍を有している場合などもある。つまり、韓国社会における韓国系の外国人（日本人）という単純な在外同胞イメージとは異なった現実があるのだ。

在日コリアンという存在

私は韓国に住み、在日コリアンのことについて正確に知らない韓国の人たちが実は多い、ということに驚いた。在日コリアンの友人が、韓国で「韓国人なのになぜ韓国語ができないのか」と責められたり、「いつ日本に渡ったのか？　何歳まで韓国にいたんだ？」、「日本人じゃないのか？なぜ帰化しなかった？」などと無神経な質問を受けるのを何度も見てきた。ただ、その存在は日本でも正確に理解されているかと言えば、そうとも限らない。在日コリアンをめぐっては、その存在を示す呼称についてもさまざまな議論がある。本書ではとりあえず「在日コリアン」という呼称を採用しているが、韓国社会でも未だに統一した呼称が定まったとは言えない状況だ。

二〇〇〇年代に入った頃だろうか、日本では「コリアン」という片仮名の呼び方が少しずつ増えてきたが、それ以前は「在日韓国・朝鮮人」といった表現が広く使われた。歴史学の世界では「在日朝鮮人」という表現が広く認知されている。あるいはそうした呼称をめぐる論争を避けるためにカギ括弧付きで「在日」とだけ表現することも多い。二〇〇〇年代中頃には韓国社会でも日本

語の発音そのままに「ジャイニチ（자이니치）」と表現するケースが登場したが、これも在日コリアンの存在を韓国語として充分に表現することができないためだと言えよう。日本の学界ではある程度の合意を得たと言える「在日朝鮮人」という表現も、韓国では政治色の強い表現とされる場合が少なくない。韓国社会において「朝鮮」という言葉に対する拒否感が強いからだ。

韓国では、一部の歴史ある商号などを除き「朝鮮」という言葉が使われない。日本で言う「朝鮮半島」、「朝鮮語」、「朝鮮人」などの単語は、それぞれ「韓半島《ハンバンド》」、「韓国語《ハングゴ》」、「韓《ハン》（国《グッ》）人《イン》」など、「韓《ハン》（国《グッ》）」という表現に置き換わる。「朝鮮」からは北朝鮮、あるいは共産主義のイメージが連想されるためで、北朝鮮のことも「北韓《ブッカン》」と表現する。実は、一九四八年八月一五日、朝鮮半島の南で大韓民国政府の樹立が宣言されるまでには国号をどうするかの議論があった。候補には「韓国」「朝鮮」のほかに「高麗」という案もあった。しかし、左右イデオロギー対立のなかで「左派・朝鮮」対「右派・大韓」という構図ができあがってきたことを背景に、また、日本の植民地支配によって奪われた国号「大韓帝国」期の正統性を引き継ぐなどの理由から、「大韓民国（韓国）」という国号が採用された。さらに、韓国政府は一九五〇年一月、反共の意味から北朝鮮を連想させる「朝鮮」という言葉を使わないとの原則を宣言した。

南北分断の問題を抱える韓国社会にとって、在日コリアンの存在をどう捉えるかという問題は、呼称の問題を含め複雑である。同時に、在日コリアンが、植民地が終焉してなお日本に留まらざるを得なかった経緯や、充分な民族教育を受けられないなか、差別と偏見、日本社会への同化を強いる圧力に抗い日本国籍を取得してこなかった、その歴史について充分に理解されていないのが、韓国社会の現状だ。

日本社会がそうであるように、韓国社会でもまた在日コリアンに対する誤解や偏見は根強い。特に、朝鮮籍の在日コリアンをめぐっては、世間一般の偏見に留まらず、韓国政府自らが差別的な措置を取ることもあった。朝鮮籍の在日コリアンが韓国への入国を拒否されるという事例が相次いだのだった。これは、朝鮮籍を安易に北朝鮮と結び付け反共政策の対象として認識したことによる。金大中政権期、南北融和ムードのなか朝鮮籍者の韓国入国が緩和されるようになったが、二〇〇八年の李明博政権誕生以降、再び入国拒否の措置が取られたのである。

ここで注意が必要なのは、「朝鮮籍」は、厳密に言うと「北朝鮮籍」でもなければ、どこかの「国籍」でもないという点だ。朝鮮民主主義人民共和国（北朝鮮）と国交のない日本においてはもちろん、朝鮮半島すべてを自国の領土と規定する大韓民国にとって「北朝鮮国籍」などというものは論理的整合性を保つならばあり得ない。日本の外国人登録証に「朝鮮」とあるのは、朝鮮半島という地域を示す「表記」あるいは「記号」に過ぎないのである。

かつて日本の敗戦後、植民地支配から解放された約二二〇万人の朝鮮人は、当然のように祖国「朝鮮」へ帰ることを望んだ。しかし、さまざまな要因が重なった結果、約六〇万人の朝鮮人が日本に残ることとなった。植民地から解放された直後の朝鮮半島は政治的にも混乱し、多くの朝鮮人が祖国への帰還を断念せざるを得なかったのだ。また、冷戦下における米国の東アジア戦略のもと、反共政策をとり、植民地支配責任の清算よりも経済成長を優先した日韓両政府の事情も大きく作用し、法的地位の問題を含め日本に残った朝鮮人、つまり在日コリアンを取り巻く環境は複雑化していったのだ。

在日コリアンとひとくちに言っても実に多様だ。まず、国籍や外国人登録証上の表記だけとっても「朝鮮」と「韓国」、あるいは日本国籍を取得している者もいるし、それ以外の国に移住しその国の市民権を得た海外在住の在日コリアン、日本以外の外国人との間に生まれ二重国籍の状態になった在日コリアンという場合もあり得る。アイデンティティも様々だ。そして、アイデンティティは必ずしも国籍に合致するとは限らない。

日本や韓国では、国籍とアイデンティティが常に一致するという先入観が未だに強い。二〇二一年にノーベル物理学賞を受賞した米国プリンストン大学の眞鍋淑郎や、プロテニスの大坂なおみ、ノーベル文学賞のカズオ・イシグロなど、彼ら、彼女らの活躍に日本のメディアや政治家は「日本人の快挙」と喜び騒ぐが、日本では依然として二重国籍が認められていないことの矛盾が見過ごされたままである。

在韓なのに在日？

日本と同様、単一民族国家という「神話」が長い間信じられてきた韓国において、国籍とアイデンティティが一致しないことへの違和感は、日本と同様に強い。しかし、国際化と多文化社会の進展、そして在外同胞の存在が少しずつ人々の意識を変えている。在日コリアンに対する認識においては、北海道にある朝鮮学校の日常を描いたドキュメンタリー映画「ウリハッキョ」が、変化をもたらすひとつのきっかけになった。映画が見せた、朝鮮半島の統一を願い、民族の伝統とアイデンティティを守ろうとする朝鮮学校の生徒たちの姿に、韓国の人々は感動した。また、もともと韓国籍でありながら韓国社会の差別など紆余曲折を経て日本国籍を取得した、格闘家の秋山成勲《あきやまよしひろ》（韓国では秋成勲《チュソンフン》）やサッカー選手の李忠成《りただなり》、そして、韓国籍でありながら北朝鮮代表になった鄭大世《チョンテセ》といった存在が韓国社会に与えた影響も大きい。

二〇一三～一五年、日本の朝鮮学校出身で、韓国プロサッカーKリーグを代表する水原《スウォン》サムスン・ブルーウィングスのストライカーとして活躍した鄭大世は、日本の愛知県で生まれ育った在日コリアン三世だ。Jリーグ川崎フロンターレでプロデビューした後、ドイツ・ブンデスリーガを経て二〇一三年、Kリーグに移籍した。母親は朝鮮籍だが、父親の国籍を継いだ彼は「韓国籍」だった。しかし、所持するパスポートがひとつの条件となる国際サッカー連盟（FIFA）のルールに基づき、彼は朝鮮民主主義人民共和国の代表[注4]として、二〇一〇年の南アフリカワールドカップに出場したのだ。

鄭大世はワールドカップ初戦、対ブラジル戦の試合開始前、朝鮮民主主義人民共和国の国歌が流れると大粒の涙を流した。「オレが幼い頃から憧れ、目標にしてきたのは朝鮮代表」と言ってきた彼がその夢の舞台で涙する姿は、テレビを通じて韓国の人々の心をゆさぶった。その後、彼が韓国国内の人気チームで活躍することができたのは、もちろん鄭大世自身の実力があったのは当然のことだ。ただ、朝鮮学校を出た彼のその複雑な生い立ちや独特のアイデンティティを知ることで、在日コリアンという存在が韓国社会で少しずつ受け入れられ始めた証でもあった。

一方で、鄭大世が韓国のチームでプレーすることになると、国家保安法に違反するとして告発されるという「ハプニング」もあった。韓国には、国家の存続を脅かす反国家活動を取り締まるとして、具体的には北朝鮮や共産主義を賛美するような行為を取り締まりの対象とする法律が存在する。この法律は戦前の日本で社会主義者や独立運動にかかわった朝鮮人[注5]などへの弾圧を可能にさせた悪名高き治安維持法を模したとも言われており、制定当初より、時の政権による恣意的な運用を許し、表現や思想の自由を侵すものとして根強い批判がある。しかし、南北分断状況のなかで今も存続する法律だ。韓国では基本的に、北朝鮮への越境や北朝鮮の人々との接触はこの法律によって禁じられている。

韓国のある保守系団体が、「私の祖国は朝鮮」、北朝鮮の金正日総書記を「尊敬している」などと過去に発言していた鄭大世の韓国入国を問題視したのだ。多くの人々はその告発自体をまともな行為と見なすこともなかったし、検察も「鄭選手の言動が韓国の存立、安全と体制を脅かしたと認定する証拠は不充分」として嫌疑なしの不起訴処分とした。ただ、この出来事は、韓国社会の一部に未だ残る在日コリアンへの偏見が表れたものだったと見ることができよう。

韓国社会には多くの在日コリアンが住んでいる。韓国に住んでいながら「在日」コリアンとはどういうことだろうと考える人がいるかもしれない。しかし、やはり韓国に住んでいても自らのアイデンティティを「在日コリアン」と自覚する人たちは多い。「在韓在日コリアン」とは何ともおかしな表現になってしまうが、単に「コリアン」、あるいは「韓国人」と表現するだけでは事が足りないところに、在韓在日コリアンの特別な事情がある。

近年、韓国への外国人移住者が増えたのにともない、逆移住する在外同胞も増えていると前述したとおり、その多くは生まれた土地の国籍を取得しており、つまり「外国籍在外同胞」=「外国人」として韓国に移り住む。あるいは、「韓国籍在外同胞」=「韓国人」である場合、その多くが移民一世であり、韓国で生まれ育った人たちが一度海外に出てからまた戻ってくるというのが主なケースだ。

ところが、在日コリアンの場合は異なる。在日コリアンの多くは数世代にわたって居住国である日本の国籍を取得せず、つまり、多くの外国籍同胞と同じように居住国の社会や生活に溶け込んでいながらも、「日本人」としてではなく、あくまで韓国籍あるいは朝鮮籍の在外同胞として生きることを選択してきたのだ。その意味で特殊な在外同胞としての在日コリアンが韓国社会に移り住み定着するには、移住外国人と同じように言葉や文化などの面で困難を経験せざるを得ない。それればかりか、現実には韓国籍、即ち「韓国人」であるがために外国人よりも面倒な状況に直面することが多い。

一九九〇年代、韓国政府は国際化の名のもと、世界各地に散らばる朝鮮半島ルーツの者（在外同胞）たちを取り込み、中国華僑のような経済的ネットワークを構築しようと、在外同胞政策をスタートさせた。一九九七年には「在外同胞財団法」、一九九九年には在外同胞の出入国を優遇する「在外同胞の出入国と法的地位に関する法律」（在外同胞法）をそれぞれ制定し、在外同胞政策を進めてきた。その在外同胞ネットワークの中心に想定されたのが在米同胞と在中同胞だった。アメリカンドリームを抱いて米国に移民し成功した在米同胞との関係を維持して韓国経済のグローバル化を図り、一方で、民族の文化をある程度残し朝鮮語（韓国語）を話す在中国同胞を呼び込むことで国内の労働力不足を補った。「世界韓商ネットワーク」という名のもと在外同胞の世界的なネットワーク構築が進められ、定期的な会合ももたれている。

しかし、在日コリアンの存在は、在外同胞法が想定しているカテゴリーに必ずしも一致しないがゆえに、彼ら、彼女らが韓国に居住するとなるとその特殊性が大きな壁となって立ちはだかることになる。第Ⅲ章で詳しく紹介するが、韓国社会には国民総背番号制とも言える国民一人ひとり固有の「住民登録番号」が付与されており、国内ではあらゆる手続きにおいてこの番号が求められる。近年は個人情報流出の問題から住民登録番号の民間利用が制限されるようになっているが、金融機関や公的機関における身分証明などにはすべてこの住民登録番号が必要になってくる。私のような外国人には当然この番号が付与されないが、韓国に住む場合それでは生活が成り立たないため、住民登録番号とほぼ同程度の機能を果たす「外国人登録番号」という類似の固有番号が付与される。

在日コリアンの多くは韓国籍、つまり韓国国民であるため、外国人登録番号ではなく住民登録番号が付与されることになっているのだが、それは韓国で生まれ育った者とは区別された「在外国民用」のものとなっている。同じ韓国国民であるにも関わらず線引きがされているのだ。住民登録番号は一三桁の数字から成るが、それぞれの数字には意味があり、数字を読み取ることで生年月日や性別はもちろん、出生地などの情報も分かるようになっており、在外国民用の番号であることで、国内居住者とは区別されることになる。その番号が記載されている住民登録証という身分証には「在外国民用」と明記され、ひと目で分かるようにもなっている。

在日コリアンの場合、日本に永住資格があることを韓国政府は「特権」であるかのように見做している。たとえ韓国内に居住していようとも、日本における永住資格を放棄しない限り、一般の韓国人と同様の住民登録番号を付与せず区別しているのだ。しかし、在日コリアンにとって日本での永住資格は、自身が生まれ育った地元であり家族の住む故郷に戻るための当然の権利を保証する、国籍のようなものだ。そして何よりも、植民地支配から解放されたにもかかわらず日本に留まらざるを得なかった在日コリアンたちにとって、日韓間の交渉を経て辛うじて認められた在留資格が「特別永住」であり、海外移住によって得る一般的な永住権とは意味が大きく異なる。にもかかわらず、韓国政府はその歴史的特殊性をないがしろにし、在日コリアンを一般的な海外移住者と同様に扱っているのだ。

結果、在韓在日コリアンは、ややもすれば一般の外国人よりも不都合の多い身分を強いられている。例えば、韓国人の配偶者を持った外国人の場合、「多文化家族」として韓国語の学習支援や、子女の保育園など教育支援の優遇が制度化されている。多文化家族向けの優遇貯蓄プランを用意する銀行などもある。それはさまざまな側面で不利な境遇になりやすい外国人を社会のメンバーとして受け入れようとするシステムだと言える。しかし、在日コリアンは「外国人」ではないため、こうした優遇制度の対象ではない。日本で生まれ育った在日コリアンは、国籍が「韓国」であるがゆえに外国で生まれ育ったことによるハンディが認められない。しかし同時に、韓国国民としての社会的フルメンバーからも除外されてしまっている。

一方、二〇一二年からは、「在日」を含む在外国民に国政参政権の行使が認められることになった。在日コリアンに韓国社会のフルメンバーとしての選択肢が提示されたかのようにも見える。しかし、在外国民として国政に参加するためには手続き面などでさまざまなハードルがあり、投票率が伸び悩んでいる。それをもって在外国民参政権の制度は税金の無駄遣いだなどと批判する国内の声も根強い。

韓国に住むことを選択してもフルメンバーとして生きるにはまだまだ多くの制約と理解不足からくる偏見が残っている。アカデミックの世界ですら、日本語ネイティヴである在日コリアンが日本語講師をやろうとすれば、本名ではなく日本名を名乗ることが条件にされるケースや、そもそもネイティヴであるかどうかの以前に、日本生まれの日本育ちであったとしても、日本国籍でなければ採用の対象にならないような場合すらある。

成功者を称えるナショナリズム

日本でもお馴染みのロッテ。韓国のロッテ・グループは、顧客志向のマーケティング主導型経営ノウハウを韓国市場に初めてもたらしたと言われ、その規模とともに、まさに韓国を代表する財閥企業だ。ソウルの中心街、観光名所でもある明洞《ミョンドン》の向かい、小公洞《ソゴンドン》に位置するロッテホテルは日本でもよく知られる一流ホテルであり、ほかに百貨店チェーンや建設業、石油化学関連事業、ソウル市内にある遊園地「ロッテワールド」など、ロッテは多岐にわたる事業を擁した巨大グループである。釜山を本拠地とするプロ野球ロッテ・ジャイアンツは、ファンが熱狂的であることでも知られる人気球団だ。

敗戦直後の日本で、チューインガムから始まった菓子メーカー「ロッテ」の創業者は、「重光武雄」の名で知られる在日コリアン、辛格浩《シンギョッコ》（一九二一〜二〇二〇年）である。日本の植民地下にあった朝鮮半島から一八歳で日本に渡った辛格浩は、多くの差別を受けながらも重光武雄という名の「日本人」としてロッテを創業、急成長させると、祖国・韓国にも進出した。一九七〇年代末、経済発展を図り近代的なホテルを必要と考えた当時の朴正熙《パクチョンヒ》大統領から要請を受け建てたというのがロッテホテルだった。

ロッテほど日韓双方で成功した企業も珍しいと言われるが、在日コリアンによる「韓国企業」は少なくない。幾人かの在日コリアンが、朴正熙政権下で急速な経済発展を進めていた一九六〇〜七〇年代の韓国に投資、進出した。韓国でも意外と知られていないが、韓国随一の銀行、新韓《シナン》銀行（日本にも「ＳＢＪ銀行」の名前で進出）を有する新韓グループも、やはり七〇年代に在日コリアンらが韓国に設立した本国投資協会に始まった金融企業グループだ。

いまでこそ、いわゆる先進国となり北朝鮮との体制競争において勝利したとも言える韓国だが、かつては経済的な優位を北朝鮮に譲っていた。韓国は植民地からの解放後、独立国としての再建途上にあった一九五〇〜五三年、朝鮮戦争によって国土は荒廃した。一方で、半島の北側はソ連経済圏にあり、植民地期に日本が残していった工業基盤が集中していたことも南側の経済的な劣勢の背景となった。しかし韓国は、一九六〇〜七〇年代に朴正熙政権が推し進めた政府主導の輸出型経済成長によって「漢江《ハンガン》の奇跡」と呼ばれる経済発展を成し遂げた。

戦後の混乱や朝鮮戦争などによって、祖国へ戻ろうにも戻れなかった在日コリアンたちの一部は、ビジネス上のリスクを負ってでも祖国の発展に寄与しようと考えた。北との体制競争で優位に立とうとした朴正熙政権期のみならず、ソウル五輪（一九八八年）やアジア通貨危機〈註6〉に見舞われた際（一九九七年）、サッカー・ワールドカップの日韓共同開催（二〇〇二年）などにも在日コリアンの団体・組織、個人による多額の支援があったと言われる。

今日まで韓国の経済発展に在日コリアンの貢献は欠かせなかった。にもかかわらず、それらの事実が韓国社会ではあまり知られていない。むしろ、「在日コリアンらは経済大国の日本に住み、韓国がこれまで経験してきた戦争や貧困、経済危機などの苦難をともにしてこなかった」という嫉妬にも似た偏見が残っている。その一端を見せたのが、二〇一五年のロッテ創業者一族の後継争いをめぐる騒動だった。

このロッテ騒動では、高齢となった創業者、辛格浩の後継者として長男・辛東主《シンドンジュ》（重光宏之）と次男・辛東彬《シンドンビン》（重光昭夫）の対立が取り沙汰されたが、家族間での会話が日常的に日本語であったことや、辛東主・辛東彬兄弟の話す韓国語が日本語訛りであったことが、他の財閥に向けられるのとはまた異なるバッシングに繋がった。「ロッテは一体、韓国企業なのか日本企業なのか」といった疑問が呈され、「韓国で稼いだ金を日本に持ち出している。ロッテを日本から取り戻せ」などと、グローバル化の時代に似つかわしくないナショナリスティックな批判が繰り広げられた。

このロッテ叩きの背景には、財閥企業に対する不信もある。経済格差が広がり、下請け企業や末端の労働者が大企業に搾取される経済構造や、不透明な一族経営など、「ナッツリターン」騒動（第Ⅲ章二一〇頁参照）にも見られた、富を独占する財閥への強い反感だ。その上、ロッテの騒動においては、在日コリアンに対する差別意識がそこに加わった。いわゆる在日二世である辛東主・辛東彬の話す韓国語がネイティヴでないからと、「彼らは韓国人なのか？」と非難、嘲笑するのは差別にほかならなく、在日コリアンの歴史に対する韓国社会の無知でしかない。

良いときは「韓国人」ともてはやし、何かあれば「日本人」だと突き放すような在日コリアンに向けられる視線。アメリカンフットボールNFLのスター選手、ハインズ・ウォードなどもそうであったように、成功者として社会的注目を集めた韓国系の外国人を「韓国人」、「韓民族」として歓迎する一方で、在日コリアン一般、特に「朝鮮籍」者や、経済的に下に見られがちな中国朝鮮族などに対する視線は冷たく厳しい。

歴史を無視し現実すら直視しない「在日特権」などという誤った認識や偏見が日本社会で大手

を振っている一方で、韓国社会のこうしたご都合主義なナショナリズムも多くの在日コリアンを失望させている。前述のとおり、韓国語ではなかなか表現しきれないその特殊な歴史性から、在日コリアンのことを「자이니치《ジャイニチ》(在日)」と呼称することがあるが、これも韓国社会がその存在を対象化し他人事としてしまっているような違和感を私は覚えてしまう。韓国に長く住むある在日コリアンの友人は、自身の存在を「透明人間のようだ」と嘆いた。日韓の架け橋などと言われることもある在日コリアンだが、その存在は日韓友好などといった美辞麗句のもと、都合よく使われてきただけではないかという思いすらしてしまう。

新しい価値観をめぐる葛藤

戸籍制度の廃止と二重国籍の許容

韓国に住むある在日コリアンの友人はよく、韓国社会において語られる「ウリ(われわれ)国民」という表現に違和感を覚えるという。韓国語において「ウリ(우리)」という言葉は独特である。「ウリ」という表現はときに内輪の結束を固め親近感をもって使われる。自分の夫のことを「ウリ・

ナムピョン（우리 남편）」と呼称したり、個人名とあわせて「ウリ・山田さんは……」などと表現したりすることがある。日本語の「ウチの誰々」といった表現に近いかもしれない。国を示す「ナラ」という単語と合わさって「ウリナラ（우리나라）」となると、「私たちの国」とか「我が国」という意味でもあるが、固有名詞である「大韓民国」の意味を直接的に示すことにもなる。ひとたび「ウリ」の内側に入れば非常に頼もしい仲間意識を共有することができるが、この「ウリ」という意識は非常に弾力的で、ときに国家、ときに会社や学校などの所属組織、あるいは家族や単なる数人の友人関係、ときには単に会話のなかで感じる同質感を根拠に使われたりする。しかし、在日コリアンのその友人は、自身が韓国籍であっても、その「ウリ」に自分が含まれているのだろうか？　と疑問を覚えることが多いというのだ。

国民をどう規定するかという点において、国籍は重要な要素だ。日本には「家」を単位にした戸籍という独特の制度に基づきそれを厳格に管理している。日本の植民地だった韓国にも日本の戸籍制度が導入され、二〇〇〇年代序盤まで運用されていた。しかし、戸籍制度は男女差別の温床であるとして廃止され、いまでは「本籍」という言葉で出身地域を示す項目が残されているのみで、国民の身分は住民登録制度によって個人を単位にして定義付けられている。日本の植民地支配は朝鮮半島の人々を「日本人」としたが、この戸籍制度をもって本籍が「朝鮮」である者を区別し、実質的には「内地人」である日本人とは異なる「外地人」として朝鮮人を差別したのだった。その戸籍制度を韓国が近年まで維持し、それをもとに自国民の身分を規定してきたというのは皮肉な現実である。

日本では近年、夫婦別姓をめぐって論争が起きているが、これも戸籍制度に由来する問題だと言える。日本では「入籍」と表現することがあるが、婚姻はもともと男性の戸籍に「嫁」を迎え入れることを意味した。さすがに今では男女どちらもが法的に戸主となり得るが、いずれにしても戸主のもとに配偶者が籍を置くのが日本の婚姻であり、戸主の姓に配偶者も統一することになる。ただ現実は、未だに多くの場合で戸主は男性（夫）であり、女性（妻）は子どもの頃からの姓を変えなければならなくなる。

夫婦が必ず同じ姓を選ばなければならないことに合理性はないとして選択的夫婦別姓を許容するよう求める裁判も起きている。国際結婚の場合に夫婦別姓が認められているにもかかわらず、日本国籍者同士の婚姻において夫婦別姓が認められないのは公正でないという主張もなされている。ただ、国際結婚の場合に夫婦別姓が認められるのは、そもそも外国人配偶者は日本の戸籍制度に入ることができないためである。国際結婚の際には戸主である日本国籍者の戸籍に備考として外国人の配偶者が記載されるに留まり、戸籍に記載される夫婦の姓が統一される必要がないのだ。〈註7〉

一方、韓国の婚姻はもともと夫婦別姓である。ときに、韓国の婚姻制度は夫婦別姓が認められており女性の権利が尊重されているかのように言われることもある。しかし、韓国の夫婦別姓の意味は必ずしもそうではない。韓国には「族譜」という家系図のようなものがあり、それをもとに先祖の供養をしたり、新しく生まれた男児の名前を決めたりする慣習があるのだが、その族譜にはもともと女性が記載されなかった。日本が「家」を大事にする文化を持つとすれば、韓国には「血」を大事にする文化がある。ただ、その血統はすべて男性を基準にしたものであり、それを示す族譜に女性は含まれず、子どもは父親の姓を受け継ぐのだ。先祖を祀る祭祀《チェサ》や茶禮《チャレ》といった法事〈註8〉の際、いまでも古い伝統を守る家では、男性だけがその儀式に参加し女性たちは台所でただひたすら法事のための料理をつくることになっている。男性たちが祭祀の料理と酒を囲んで談笑する傍ら、女性たちは延々と続く料理の合間に台所で簡単に食事を済ますのである。

日本に負けず劣らず男性中心社会の伝統を持った韓国だが、生まれた子に母親の姓を選択させることができるよう法改正がされているし、そもそも「家」に家族を縛り付けるような戸籍制度は廃止するに至った。ただ、男性中心社会の慣習は根強く、法的には選択が可能になったとはいえ、あえて母親の姓を子どもに名乗らせる夫婦はほとんど見かけない。

一方、韓国では二〇一〇年、限定的に二重国籍を含む複数国籍を許容する法改正が行われた。出生にともなう国籍の決定には、大きく分けて、両親の国籍に従う血統主義と、生まれた場所を基準とする出生地主義がある。出生地主義の国としては移民国家である米国やカナダなどが代表的だ。韓国は、日本と同様に血統主義の国であり、日本がかつてそうだったように、韓国も父親の国籍のみに従う父系血統主義だったが、いまは両親どちらかの国籍が韓国であればその子どもは韓国籍者として認められるようになっている。

韓国籍者と外国籍を持つ者の婚姻、つまり国際結婚によって出生した子どもの場合、出生とともに韓国籍と同時にもう一方の親が持つ外国籍も認められ二重国籍となる。かつての韓国は、現在の日本と同じように、二重国籍の子どもは成人するまでに二重国籍を解消しなければならなかった。つまり、韓国籍を維持する代わりにもう一方の外国籍を放棄するか、あるいは外国籍を維持する代わりに韓国籍を放棄するか、成人するまでに選択しなければならなかった。

しかし、二〇一〇年の法改正以降、生後に移民などによって外国籍を取得したケースは原則として対象にならないものの（六五歳以上は可能）、生まれながらの二重国籍者はそれを維持することができるようになった。韓国の法律のもとでは、国際結婚の子どもが両親の国籍をそのまま維持できるようになったのだ。いわゆる国際化が進み国際移動の盛んな現代において、二重国籍を認めるのは理にかなった法改正だと言える。

ただ、韓国社会のこうした変化は、国際社会の風潮だけが理由ではなく、兵役に就く韓国籍者を確保するという目的が大きく作用したものである。両親が韓国籍者であっても、米国のような出生地主義の国で生まれ二重国籍となった在外同胞たちは、成人になるまでに二重国籍の解消を求められるとなると、やはりどうしても兵役義務のある韓国籍を捨てる判断に傾きやすい。しかし、二重国籍が認められるのであれば、兵役に就くこともやむを得ないと考える者が出てくる、韓国政府はそう考えたようだ。韓国籍を放棄し兵役に就こうとしない二重国籍の若者をなるべく取り込みたいという政府の思惑と、韓国籍を捨てることで兵役を逃れる海外移住者を特権階級のように見る韓国社会の強い不満が、二重国籍を許容する法改正の背景にあるのだ。特に在米コリアンの場合、二者択一を迫られるのなら、韓国籍を捨て韓国系米国人として生きていけばよいと考えるケースが多かったようだ。

このように、二重国籍を容認する制度は、必ずしも個人の権利拡大という方向性のもとに生まれたわけではないが、韓国社会の多様性を促す重要な制度変更になったことは間違いないだろう。

ちなみに、在日コリアンの場合、そもそもが韓国籍を持っているため、原則的に兵役の対象になる。かつては歴史的経緯が考慮され、たとえ韓国国内に長期滞在した場合であっても兵役をその義務がなくなる年齢まで延長することができ、実質的に兵役が免除されるという規定が設けられていた。しかし、二〇一八年の法改正によってその免除規定に変更が生じ、在日コリアンであっても原則三年以上韓国に居住し就業活動を行うなどの場合、兵役の義務を果たさなければならなくなった。

韓国政府は、多様性を認めるかのような制度を整備する一方で、在日コリアンの歴史的背景を考慮せず、韓国籍を持つことだけをもって韓国籍者として一律に捉えていることが窺える。この法改正による兵役の問題は、在日コリアンたちに十分な事前周知もなかった。民族教育などの権利を十分に保証してきたとは言えない国家が突然、義務だけを彼らに強要するものであり、現実的な問題として兵役につくわけにはいかない在日コリアンたちが、それ以上韓国に滞在できず日本へ戻るということも起きている。

このように韓国では、社会的な認識の広がりを待たずに社会システムの早急な改善が先行するケースがよく見かけられる。日本の場合、社会の認識が一定程度広がって初めて法律や制度の改善に繋がることが多いように思う。どちらが良い悪いということは一概に言えるものではないが、日本では、問題が指摘されてから社会的な認識が醸成されるまでに何年もかかるようなところを、韓国の場合、問題が提起されてすぐにシステムが構築されるというケースが少なくない。そのスピード感には驚かされることがしばしばである。良いことは良いのだからやればよい、という意識が強い。韓国に住む日本企業の駐在員のなかには、韓国におけるビジネスのスピード感や明快さに慣れてしまい、日本に戻りたくないという人もいる。日本企業の手堅い仕事の進め方や組織内の根回しなど、韓国での仕事の仕方と比べ、まどろっこしく感じてしまうのかもしれない。

ただし、そのスピード感は諸刃の剣でもある。あまり先のことまでを考えずに、あるいは十分なリスクヘッジをせずに物事を進めてしまった結果、トラブルが生じるということも少なくないからである。これは社会システムの場合も同様で、十分な準備ができていない状態における急激な社会的変化は、さまざまな欠陥を伴うことになる。ただし、そうした欠陥は、システムが運用されるなかで少しずつ改善されていき、いつしか社会は前に進んでいく。あらゆる変数を想定し万全を期してからでなければ物事が動き始めない日本とは対照的だ。

多様性の拡大と葛藤

社会システムの側面では日本より遅れを取っていると認識されがちな韓国。留学生として大学院で学んでいた頃、私が政治学を専攻していると言うと、韓国の人たちからもよく「韓国社会から学ぶことなどあるのか？」と不思議がられた。しかし、例えば、多文化支援のさまざまな施策はいまや韓国の方が先を行っていると見るのが妥当だ。日本が未だに制定していない難民法も、韓国は二〇一一年にアジアで初めて実現させている。パワハラやセクハラ、そして贈収賄に関する法整備もここ数年でどんどん進んでいる。

もちろん、政策を打ち出しておきながら不充分な点は山ほど指摘されており、必ずしもすべてがうまくいっているわけではない。実効性が伴わないシステムも少なくない。日本の仕事の進め方からすれば違和感を覚えるかもしれないが、まずは実施してみて問題の出た部分を少しずつ改善していくことによって現実として社会が前進している、という側面を否定することはできない。

そして何よりも、政治がひとつの方向性、あるいは規範を示すことによって改善の可能性を実感できるというのは大きい。社会が少しずつ良くなっている、あるいは良くなり得るという希望を持てるのは重要だ。

近年では性的少数者〈註9〉（セクシャル・マイノリティ）をめぐる問題が注目されている。根強い排他性もあるが、これまで排除されてきた異質なものへの寛容がどれほど広げられるか、今後の韓国社会に多文化主義の理想を期待するのは外国人だけではない。

二〇一七年五月、朴槿恵大統領の弾劾罷免後を受け新たに就任した文在寅《ムンジェイン》大統領は、選挙戦最中の討論会で、「同性愛者を好まない」と発言し、支持層の一部から激しい批判を受けた。一方で、文在寅候補は同時に、「同性愛も尊重されなければならない」とも発言しており、彼の立ち位置は、進歩派としてポリティカル・コレクトネス（political correctness：ＰＣ、政治的な正しさ）を示しつつも、進歩派にも少なくない韓国社会の伝統的な（旧態依然の）価値観を重視する人々に配慮したものであったと見ることができる。実際のところ、一部の支持層からは批判を受けつつも、その発言が政治的なダメージを残すことはなかった。それが、韓国社会における性的少数者をめぐる現状であると言うこともできよう。

近年日本でも、東京レインボープライドのイベントやパレードが注目を集めるようになったが、韓国でも「ソウル・クィア・カルチャー・フェスティバル（ＳＱＣＦ）」が二〇一九年に二〇回目の開催を迎えた。二〇〇〇年にわずか五〇人ほどの数で始まったと言われるイベントが、二〇年の間に、ソウル市庁前広場に約八万人を集め、市内を練り歩くパレードには約七万人が参加するという大規模なイベントに成長した。

私も記念すべき二〇回目のイベントに初めて訪れてみたのだが、その熱気に圧倒された。このとき初めて、ソウルの中心であり象徴でもある景福宮《キョンボックン》の光化門《クァンファムン》広場をパレードが往復するという演出がなされた。それまで外国企業が中心だった協賛には、韓国を代表するビール会社「OB麦酒《メクチュ》」も名前を連ねた。OB麦酒はイベントに合わせ、人気ビール「CASS（カス）」の缶をレインボーカラーにし、「堂々と自信のみなぎるあなたの色を応援する、YASS！」とのコピーとともにキャンペーンを打った。ビール名の「CASS」に英語の「YES」という前向きなメッセージを掛け合わせたキャッチコピーだった。

レインボーカラーのCASSは話題になったが、国内企業がスポンサーとなることがなぜ特別なのか。イベントの盛り上がりに反し、性的少数者に強い嫌悪を示す人たちも少なくないからである。特に同性愛に強い拒否感を示しているのは、一部の保守派プロテスタント信者たちだ。韓国では、性的少数者だけでなく、人種や国籍、性別、宗教など、さまざまな差別を実効性のある形で包括的に禁止することのできる「包括的差別禁止法」の制定が求められている。国会は、二〇〇七年から何度も同法案の審議を行ってきたが、実現させられていない。ある世論調査などでは八割ほどが法の制定に賛成しているにもかかわらずである。この法案に差別禁止の対象として性的少数者が含まれていることで、一部の保守派プロテスタント信者らが激しく反対しており、無視できない政治的影響力を行使しているからだ。

もちろん保守的なプロテスタント信者の全てがというわけではないが、法案に反対する人たちは、教義を根拠に性的少数者を否定し嫌悪する。実際、私が参加した二〇一九年のクィア・カルチャー・フェスティバルにもイベントを妨害しようとするクリスチャンたちが集まっていた。イベントが行われている広場のすぐ傍らに仮設舞台を設け、教義なのだろうか、ところどころに「アーメン」と挟みながら何やら分からないことをマイクで終始がなり立てている集団や、性的少数者を「非道徳的だ」とか「病気である」と誹謗するような内容のプラカードを掲げる人たちが陣取った。二〇一四年には、イベントを妨害しようとする人たちが道路に寝そべるシットインを行ってパレードを遮ろうとし混乱が生じたが、翌年からは警察がそうした衝突が起きないようパレードを守るようになっており、この時も、周囲に反対派の人たちはいたものの大きな混乱には至らなかったのが幸いである。

このように、イベントの盛り上がりとともに性的少数者に対する社会的な認識は少しずつ高まってきたと言えるだろう。韓国では一九九〇年代、あるタレントがゲイであることをカミングアウトしたところ、しばらくテレビに出られなくなってしまったことがあった。一九九〇年代後半からテレビドラマなどに同性愛は少しずつ描かれるようになったが、バラエティー番組に性的少数者であることを明かした芸能人が登場する機会は少なく、日本のテレビ番組と比較するとまだまだだと言う人も多い。ただ、韓国の場合、そもそも性的少数者であることがその芸能人の売りになったりすることはなく、そのことをネタにするということ自体に慎重だ。ともあれ、韓国社会において性的少数者をめぐる認識はいま過渡期にあると言えそうだ。

二〇二〇年初め、男性から女性へと性転換手術を受けた人物が社会に課題を投げかける出来事が二件起きた。ひとつは、性転換手術を受けた兵士が軍から「不適合者」として除隊を命じられた事件だ。陸軍兵士、ビョン・ヒスは男性として生まれ、国のために働きたいと自ら職業軍人の道を選んだ。しかし、自身の性にはずっと疑問を持っており、だんだんとその疑問に耐えられなくなっていったという。そして、とうとう男性から女性への性転換手術を決心し、そのために休暇をとったのだ。ところが、女性の身体となって部隊に戻ったビョン・ヒスに対し、軍は除隊処分を下した。その後、彼女は名前と顔を明かし記者会見まで行い、自身が女性になったとしても兵士として充分に任務を果たすことができるとして、軍に残れるよう訴えた。しかし、除隊を審議する軍の転役審査委員会は、彼女が「精神的に軍の任務に耐えられない状態にある」として除隊処分を妥当な決定と最終判断した。

一方で、ビョン・ヒスは日頃から自身の悩みを上官にも相談しており、休暇も上官の許可を得たものであったことを考えると、軍という組織の判断とは別に、上官や同僚たちの理解は一定程度あったのではないか。現に彼女は記者会見の場で、上官や同僚たちが支えになっていたと話していた。彼女はその後、この問題を法廷に訴え軍の措置が違法であったとの判決を勝ち取った。しかし、残念なことにその過程で彼女は精神的に追い詰められ自ら命を絶ってしまった。性的少数者への認識が高まるなか、軍という、保守的な価値観の残った組織が新たな価値観に適応していかなければならない課題が示された形である。彼女を追い詰めた社会の責任は重い。

もうひとつの出来事は、やはり性転換手術を受け法的にも女性となった受験生を女子大が受け入れるべきかをめぐる論争だ。韓国の有名女子大のひとつ、淑明《スッミョン》女子大学に合格した受験生のうち、男性だった学生が受験前に性転換手術を受け、女性として入学手続きをしようとしたことが注目を集めたのだ。これに在学生たちの一部が強く反発したのである。その学生はすでに法的にも女性となっていたため大学としては入学を許可しており、また同大学の同窓生たちは彼女の入学を歓迎する声明を発表するなどした。

しかし、賛否の論争はすぐに収まらず、結局は当人自ら入学を断念するという残念な結果に終わってしまった。在学生たちの反発には、男尊女卑が根強く残る韓国社会において、女子大は女性たちが安心して学べる貴重な空間であるという認識があり、それが頑なな態度に繋がったものと見られる。性的少数者に対する偏見だけでなく、男性中心の韓国社会において女性が背負わされるリスクの大きさに根深いものがあるということを確認させられた出来事でもあった。

女性を苦しめてきた伝統的価値観

日本も同様に男性中心の社会と言えるが、韓国のそれは目に見える形で深刻だ。ここでどちらの社会の方が酷いとかマシだとかといった比較をすることは無意味だろう。ただ、日本の場合、「お茶汲みは女性がやって当たり前」などといった価値観を口にするようなことは今どきあり得ないことかもしれない。一方で、韓国の場合、少し前まではそういう女性蔑視の発言をするような人たちが少なからずいたのだ。しかし見方を変えると、日本にはそうしたことを口にしなくとも暗黙のうちに女性がそういう立場に追いやられているような現状があり、一方の韓国にはそういった露骨な差別があるからこそ明確にそれを批判する可能性が生まれてきたとも言える。ひと昔前まで、「韓国の女性は強い」などといったステレオタイプの見方が日本で言われていたのもそういった背景があったのではないか。結局のところ、日本も韓国も、女性を家庭に押し込めるような一方的な価値観が未だにはびこっているという点は共通していると言えよう。

韓国の小説、チョ・ナムジュ著『82年生まれ、キム・ジヨン』（二〇一六年、邦訳は斎藤真理子、二〇一八年）が日韓で共感を呼んだのは、その証かもしれない。『82年生まれ、キム・ジヨン』のミリオン・ヒットは、韓国で一種の社会現象ともなり、二〇一九年には同名の映画も制作された。

主人公のキム・ジヨンは三三歳の主婦で、三歳年上の夫、一歳になる娘とソウル郊外に暮らしている。韓国で一九八二年に生まれた女の子の名前で最も多かったのが「キム・ジヨン」だという。つまり、韓国の最もありふれた、どこにでもいそうな女性像をとおして、男女の不平等やそれに苦しむ姿を描いた小説だ。苦悩のあまり精神に異常をきたした主人公が、自身の半生を精神科医に語ったそのカルテの記録という物語設定になっている。

私の妻も近所のママ友何人かで連れ立って映画館に行ったのだが、主人公の夫（コン・ユ）が非現実的に格好良くて感情移入しづらかったなどと冗談混じりの感想を漏らしつつも、全員が涙ながらに鑑賞したそうだ。映画館では嗚咽する声も響いていたという。私はこの作品を小説で読んだが、韓国で日常的によく見聞きしたことのある場面の連続で、何か特別な世界を描いた「小説」というよりも、とある誰かの日常を記録したノンフィクションのように感じられた。もちろん物語の設定は小説らしいのだが、大きな事件が起きるわけでもなく韓国ではごくごく一般的な日常の風景が淡々とそこに描かれている。

例えば、男の兄弟が優遇される家庭の雰囲気や、主人公が深夜に男に付きまとわれてあやうく難を逃れたのに、親からはまるで自分に落ち度があったかのように叱られたり、結婚と同時に子どもはいつ産むのかと心配されたりする日常。そのどれも周囲の人間に悪意はなく、親の立場としては、むしろ男の子よりも女の子のことをより大事に可愛がり心配しているからこそ、女性の

「幸せ」を願って妊娠・出産に関心を寄せあれやこれやと世話を焼こうとする、のである。そういう日常における善意の差別がますます女性を追い込む。

よくよく考えれば理不尽なのだが、それが当然のこととなってしまい、いつしかそれを理不尽だと気付けなくさせられている日常だからこそ、それをこの小説が文字にして明示したことの意味は大きく、多くの女性が共感した理由であったのだろう。そして、この小説が日本でもヒットしたのは、そうした女性を取り巻く日常の経験とそれにともなう共感が、韓国に限られたものでは決してないからだった。ここ何年かの間に、男性中心の社会において女性が差別されてきたことが、韓国社会では明示的に指摘されるようになっている。『82年生まれ、キム・ジヨン』もそうした社会的雰囲気のきっかけになったとも言えるし、逆にそうした空気があったからこそ、そこまでのヒットに繋がったとも言えるだろう。

韓国は日本以上に少子化が進んでいる。二〇一七年、日本の出生率が一・四三だったのに対し、韓国は一・〇五だったが、二〇一八年、韓国はついに世界最低水準の〇・九八にまで落ち込んだ。韓国では二〇一〇年頃から、恋愛、結婚、出産を諦める（＝放棄する）「三放世代《サムポセデ》」という言葉が使われるようになった（第Ⅲ章二三二頁参照）。経済格差の問題とともに、女性が生きにくい社会であることが指摘される。女性にとって結婚は自身のキャリアを諦めることに繋がりかねず、出産となれば間違いなく、それまで積み上げてきたキャリアの断絶を意味するとともに、そんな韓国社会に生まれてくる子どもが可哀想だと考え、結婚や出産をしない人たちが増えている、というのだ。

韓国政府はこうした状況に危機感を覚え、少子化対策として女性のキャリア支援はもちろん、男性の育児参加を促す政策を進めている。日本では「女性が輝く社会」などと、未だに女性にスポットを当てがちだが、韓国では男性の育児参加が不可欠であるという認識はすでに社会的な合意事項になっていると言える。男性の育児参加を促す政策は社会福祉政策に当たり、自由主義経済の論理を重視する保守派にとっては一見関心が低い分野であるにもかかわらず、保守派の朴槿恵政権の頃からすでに積極的な姿勢が見られた。韓国社会にとって、保守・進歩の陣営を超えて喫緊の重要課題と認識されているのが、男性の育児参加であると言えるだろう。男性中心の社会でありながら、家族を大切にするという伝統的な価値観が、保守・進歩にかかわらず、子どもを大事にするという姿勢に繋がっているのかもしれない。

韓国の少子化対策

韓国政府は少子化対策として、二〇〇五年の「低出産・高齢社会基本法」制定にはじまり、五年ごとに「低出産・高齢社会基本計画」(二〇〇六、二〇一〇、二〇一五年)を策定するなどしてきた。日本も保育園・幼稚園の無償化支援政策が二〇一九年から始まったが、韓国では二〇一二年より、満三〜五歳を対象に類似の制度が実施されてきている。また、終日でなければ（あるいは追加負担によって終日）、共働きでなくても子どもを預ける家庭は多い。また、日本と大きく異なるのは、深刻な待機児童の問題がほとんどないことだ。もちろん、国公立や人気の園にこだわれば待機せざるを得ない状況はあるが、行政機関のシステムをとおして入園申請すると、低所得者家庭や兄弟姉妹の通園実績、多文化家族などの優先条件が考慮され入園の通知が来る。わが家も特段の苦労もなく子どもたち二人を希望通りの園に入れることができた。

日韓の出産支援制度は基本的に母性保護・出産制度と言われ、ほぼ似た形をとっている。一方で韓国独自の制度もある。例えば、出産にかかる休暇支援だ。産前産後の休暇中、日本は給与の三分の二が支給されることとなっているが、韓国の場合、最初の六〇日までは会社が通常の賃金を支給することとなっている。流産・死産があった場合、最大で九〇日の休暇取得が可能であり、配偶者も出産のために休暇を取得した場合、三〜五日の休暇が認められ、三日までは有給休暇の扱いになる。また、妊婦の場合、一日二時間の短縮勤務が可能であり、その場合も賃金の削減はない。

育児休暇制度についても、韓国はより柔軟な制度設計になっているようだ。育児休業中の取得対象期間として、韓国は、子どもの年齢が八歳以下、または小学校二年生までとなっている。日本は一歳未満となっているが、「小学校一年生の壁〈註10〉」を考慮しての制度となっているのだろう。

育児を理由にした短縮勤務のための補填給付制度も日本にはない支援だ。

共働きの場合、育児休暇を夫婦でそれぞれ一年間、合計で二年間取得することができるため、夫婦それぞれが交代で育児休暇を取得するケースもある。給与は、はじめの三カ月が通常賃金の八〇％（上限一五〇万ウォン）、以降九カ月は五〇％（上限一二〇万ウォン）支給されるが、夫婦ともに育児休暇を取る場合、二人目は最初の三カ月の支給額が一〇〇％（上限二五〇万ウォン）となっており、特に後回しになりがちな男性にも育児休暇を取るよう促す制度になっている。実際、この制度の利用者は増加している。男性の育児休暇取得者数は毎年伸びており、二〇一九年、民間企業の育児休暇取得者が二万二二九七人、男女合わせた一〇万五一六五人の二一・二％と、はじめて二万人、二〇％を突破したという（韓国政府雇用労働部の統計）。日本の場合、女性の取得率が八二・二％であるのに対し、男性が六・一六％に留まっている。統計の取り方が同じとは限らないため数字を単純に比較することはできないが、日韓のこの違いは興味深い。

あくまで個人的な経験に過ぎないことは注意が必要だが、実際、私が韓国で育児をしていて感じたのは、男性の育児参加が当然視されていることだ。育児だけでなく出産の段階からそうだが、産婦人科や不妊治療院、公園や保育園、幼稚園の送り迎え、あるいは園の行事などで男性の姿をよく見ることができる。週末などの休日に近所の公園へ行けば、父親が子どもを連れて遊びに来ている家族が圧倒的多数だ。平日の学校行事であっても休暇を取って参加するお父さんは全く珍しくない。

日本では男性の育児参加促進のために「育メン」なる言葉が言われており、私も子どもが生まれた際、日本の友人からお祝いの言葉とともに「育メンにならなければダメだよ」と、男は育児をしないものという前提かのような忠告（励まし？）を受けた記憶がある。韓国でも「育児《ユガ》ッパ（육아빠）」（育児〈ユガ〉とお父さん〈アッパ〉を合わせた言葉）なる言葉があるようだ。しかし、実際には日常的にそんな言葉が使われることはほとんどない。「育ウィメン」などと日本で言わないのと同じように、まだまだ少ないとは言え、当然のあるべき姿であり殊更に言い立てるべきことではないという意識ではないだろうか。

とは言え、韓国も道半ばである。男性の育児休暇取得率は大きく上昇している一方で、男性が取得する休暇は短期間に留まっている。六カ月以下の育児休暇が半数を占め、三カ月以下の取得が三六・三％もいるのだ。全体のうち一〇〜一二カ月の休暇を取得しているのは七三・五％になるのに対し、男性に限ると四一・二％に過ぎない。韓国の少子化対策は、出産奨励金、保育費、育児費の支援、教育インフラの構築など、主に結婚した家庭に対する所得支援政策に偏っていると言われるが、そもそも女性の未婚化や晩婚化が出生率を大きく下げているとの側面が指摘される。つまり、男性の育児参加を促すことには少しずつ成果を見せていても、男性が職場の中心である企業文化が変わらない限り、その効果も半減するばかりか、その前提になる結婚と出産の問題を解決することはできないというのだ。

そもそもの男女間賃金格差はもちろん、所得支援策があったとしても出産や育児による経歴断絶の問題や、昇給昇進におけるガラスの天井など、女性が置かれた労働環境の問題がより根本的に改善されない限り、安心して子どもを育てられる状況は生まれない。さらに、そうした企業文化の問題は、実は男性にも関わってくる。いくら男性の育児参加が促されたところで、仕事よりも子育てを優先するような空気が企業になければ、実際に制度を利用するのは困難だ。従業員に猛烈サラリーマンのような働き方を強要する空気に生きづらさを感じる男性も少なくないはずだ。男性の育児休暇取得が短期間に留まってしまうのも、そうした企業内の空気が変わっていかなければ改善は難しいだろう。

#MeToo運動の広がり

男女格差(ジェンダーギャップ)の問題は、世界的な課題と言えるが、二〇一七年米国発の#MeToo運動は韓国でも大きな広がりを見せた。日本でも一時期注目を集めたものの、社会一般への広がりや深い議論へといまひとつ繋がらなかったのとは対照的だ。

韓国で#MeTooのきっかけになったのは、二〇一八年初め、ケーブル放送局JTBCの人気ニュース番組「ニュースルーム」に現職の検事、徐志賢《ソジヒョン》が生出演し、自身の性暴力被害について告発をしたことであった。彼女は、二〇一五年に法務部の幹部、安兌根《アンテグン》から身体を執拗に触られるという性被害を受けたと訴えた。それだけでなく、その場に居合わせその行為を目撃した同僚を含む多くの関係者は口をつぐみ、被害者であるはずの自身が実質の左遷を命じられたというのだった。生放送中、彼女は、声を震わせながらもはっきりとした言葉で検察内部の問題を告発するとともに、「性暴力や性犯罪の被害者たちに、あなたが悪いわけではないと伝えたい」と語った。

　彼女の勇気ある告発は、その後、地上波の放送局など大手のメディアでも取り上げられ、年末恒例の「二〇一八年、今年の人物」に、複数のメディアが韓国 #MeToo 運動の象徴として彼女を選んだ。日本では伊藤詩織がやはりＴＢＳ（当時）の山口敬之による行為を告発し #MeToo 運動の象徴となった。ただ、多くの日本メディアでは事実関係を追うばかりの報道に力が注がれたのと対照的に、韓国では、いち事件としての報道に加え、女性を取り巻く社会問題として関連イシューとともにさまざまな形で語られることになった。

　韓国では徐志賢の告発以降、同年三月には、忠清南道《チュンチョンナムド》知事（当時）の安熙正《アンヒジョン》による秘書への性暴力が被害当事者からの告発で明るみになった。そして、彼の所属先であった与党「共に民主党」は即座に彼を除名処分にした。安熙正は次期大統領候補の最右翼とも言われた有力政治家であった。紆余曲折はあったものの、彼の罪を裁く司法の場では、ジェンダーをめぐる不公正などの問題にどれだけ自覚的であるかといった「ジェンダー感受性（gender sensitivity）」の重要性が言及された。韓国社会において、それまで性暴力と認識されてこなかった行為や、見過ごされてきた性暴力の問題に対し、より敏感になることが求められるという認識が広く持たれるようになったのだ。

こうした韓国における#MeToo運動の広がりの背景には、社会の問題を自身の問題に引き付ける文化があったと言える。特に性暴力やジェンダー・ギャップの問題は、韓国社会における民主主義の発展が大きな背景として挙げられるだろう。韓国の社会運動において若い女性たちの存在は常に重要な意味を持ってきたとの指摘がある。二〇〇八年に起きた狂牛病デモ〈註11〉のはじまりは、学校給食を心配した中高生による「キャンドル文化祭」と命名された抗議集会であったが、食の問題に危機感を持った若いお母さんたちがベビーカーを押してデモに参加する「乳母車部隊」も注目を集めた。二〇一六〜一七年の大統領弾劾キャンドル・デモのきっかけをつくったのも、不正入試疑惑に怒りの声を上げた梨花《イファ》女子大学の学生たちであった。かつて狂牛病デモに参加した世代の若い女性たちが、再び声を上げたのである。

バックラッシュのはじまり

一方で、二〇一八年前後からのこうした女性たちの運動、つまりフェミニズム運動には、韓国社会における女性嫌悪（misogyny：ミソジニー）のバックラッシュが起き、あたかも女性嫌悪と男性嫌悪の対立かのような現象が生まれている。実はそうした様相は、#MeToo 運動が広がる以前の二〇一六年にはすでに現れ始めていた。二〇一六年五月に起きた「江南《カンナム》駅殺人事件」をめぐる葛藤である。

その日の深夜、オフィスや飲食店などが集まるソウル江南のカラオケ店が入る雑居ビルで、男女共用トイレに隠れていた男が、トイレに入った面識のない女性を刃物で刺殺した。一見、単なる無差別殺人のようであり、警察もそう見做して捜査を行ったが、犯人の男は「普段から女に無視されていた」と話しており、被害者となった女性より前にトイレに入った数人の男性をそのまま遣り過ごしていたことからも、フェミサイド（femicide：女性憎悪殺人）であることが指摘された。

事件が報道されると、現場の最寄りである地下鉄二号線江南駅一〇番出口の前に多くの女性たちが集まり、追悼と連帯のメッセージを書いたたくさんのポストイットが貼られた。ごく普通の商業施設にあるトイレで何の理由もなく殺された被害者を思うと、たまたま自分ではなかっただけであり、いつ自分が同じ目に遭ってもおかしくない、そう考えた女性たちは、もうこれ以上黙っていてはいけないという思いに駆られたのだった。

同時に、そうした女性たちの反応に、「ひとつの事件だけで、なぜ男性がすべて潜在的な殺人犯のように言われなくてはならないのか」といった反発、そして戸惑いを覚える男性たちも少なくなかった。私自身も正直に言えば、その事件の報とともに江南駅一〇番出口前に多くの女性が集まっているというニュースを知った当初、なぜ「突然」これほどまでの反応が起こるのかと不思議に思った。しかし、それは決して「突然」のものではなかったのだ。

二〇一〇年代に入る頃、韓国ではオンラインコミュニティの文化がますます発展するのにともない、オンライン上で女性をターゲットにしたヘイトスピーチ、つまり女性嫌悪の言葉や表現、言説、さらにはデジタル性犯罪が横行していた。会員数一〇〇万人を超えた韓国最大のアダルトサイト「ソラネット」は、二〇一六年にようやく閉鎖に追い込まれたが、デジタル性犯罪の温床として一九九〇年代末からずっと問題視されていた。女性たちにとってはすでに長年、社会の隅々に潜む女性嫌悪が日常の脅威となっていたのである。

江南駅殺人事件を前後し、もはや女性たちは黙っていなかった。女性たちに向けられる蔑視の言葉や表現などに、男性を当てはめる形で反撃する「ミラーリング」という手法によって、男性に向けられた攻撃的な言葉がネット上に登場するようになる。ミラーリングは本来、相手の立場になって考えられない人に対し、気付きの機会を与える手法、あるいは蔓延する女性蔑視の言動を内面化してしまっている女性たち自身が気付きを得る方法として意味があるのだろうと思う。しかし、多くの男性はそのミラーリングを単に男性への攻撃であり「男性嫌悪」であると捉えた。同時に、若い男性を中心に「男性は虐げられた存在である」と思い込む人たち、そしてフェミニズムに反発を示す人たちが少なからず出てきたのである。

二〇〇〇年代に入る頃より、軍加算点制度〈註12〉という優遇措置の廃止（一九九九年）や、民法の改正による男性中心の戸主制廃止（二〇〇五年）、女性の自己決定権として堕胎の法的容認（二〇二一年）などが進み、既得権層ではない若い世代の男性たちが、相対的に剥奪感を覚えるような状況があった。そうしたなかで若い男性たちは特に、女性の権利拡大の様子を身近に見てきた一方で、男性が優位であった実感が薄いのである。さらに、二〇二〇年前後に見られたジェンダー感受性の急激な高まりに追いついていけない男性たちも少なくない。さまざまな場面で「窮屈」と感じる男性たち、そして、「古き良き秩序」、「伝統」といったものが失われてしまうと感じる旧世代、あるいは保守層の人々も少なくない。

二〇二一年に入り、当時の野党第一党であり保守勢力を代表する政党、「国民の力」の新代表に国会議員の経験がない三六歳の李俊錫《イジュンソク》が選出され大きな話題になった。彼は旧世代に代わる若者を代表していると同時に、アンチ・フェミニズム層の支持を得たと言われている。もちろん彼自身は男女平等を否定するわけではないが、「公正な競争」のために女性ばかりを優遇することは適当でないと、韓国社会において女性嫌悪に対抗してきたフェミニズムの価値を否定するのである。アンチ・フェミニズムへの共感は、経済格差が広がるなか、女性よりも苦しい立場にあると感じている若い男性たちの反発がその背景にあると見られる。

このように #MeToo 運動やフェミニズムの広がりは、社会的なバックラッシュ（backlash：揺り戻し）に直面している。政策、制度的には日本の先を行っており、一見、男女格差の改善が進んでいるかのような韓国だが、急速な改善への取り組みやフェミニズムの広がりが、新たな社会的葛藤を生んでいる。先に紹介した小説『82年生まれ、キム・ジヨン』が日本社会で広く受け入れられたのは、韓国と同様の問題が日本にも存在しているがゆえであった。ただその一方、日本においては、その小説が描く物語は韓国という他国の日常として読めたからこそ、男性も含めより抵抗感なく広く受け入れられたという側面もあったのではないだろうか。つまり、他人事として距離をとる余地があるからこそ受け入れられやすかったのではないか。

韓国では『82年生まれ、キム・ジヨン』は広く共感を呼んだ一方で、反発の声も広がった。小説に描かれた日常は、まさに韓国の人々が日々接している日常そのものだからである。文字として明確にその問題を認識した以上、他人事として放っておくことができなくなったと同時に、その問題を問題として認めたくない人たちの抵抗が起きた。そして、その抵抗は社会の分断を生むまでに至っている。

そうした分断や嫌悪の感情を利用し支持層を形成する政治が繰り広げられたのが、まさに二〇二〇年三月に行われた大統領選挙であった。最終的に、保守派「国民の力」の尹錫烈《ユンソンニョル》と進歩派「共に民主党」の李在明《イジェミョン》の対決となり、「選ぶ候補がいない」、「史上最悪の非好感《ビホガム》（好感度のない）大統領選挙」などと言われた。最終的に、尹錫烈が得票率にして〇・七ポイントという僅差で大統領に当選したのだが、保守・進歩の構図を超え、相互に、李在明はどうしても嫌だ、尹錫烈は絶対に嫌だという人たちが反対側の候補に投票した結果だとも言われた。もちろん、両候補への支持を分けたのが男女の葛藤だけではないが、韓国社会が今後、そうした嫌悪と対立の構図をいかに克服していくのか、あるいはそうした分断を深めていくことになってしまうのか、注目される。

【註】

〈1〉島根県が二〇〇五年に「竹島の日を定める条例」を定めた「竹島」は、韓国で「独島《トクト》」と呼ばれる。二〇一二年八月一〇日、当時の李明博大統領は、韓国の大統領として初めて「独島」に上陸した。韓国政府は島に警察を配備し実効支配し続けており、紛争地域であるという認識も持っていない。のちの「日王《イルワン》（天皇）謝罪要求発言」とあわせ、任期末のレイムダックを回避するためにとられた国内向けパフォーマンスだったと説明されることも多い。

〈2〉二〇一二年八月一四日、当時の李明博大統領が、日本の天皇について、「韓国を訪問したければ、独立運動をして亡くなった方々のところに行き、心から謝る、そうしてほしい」と発言。日本の強い反発を招いた。これもまた、「独島上陸」とあわせ、国内向けの政治パフォーマンスと見られた。

〈3〉韓国政府は二〇一一年の福島第一原発事故以降、福島をはじめとする八県の水産物について輸入禁止を行い、輸入可能品目に関しても厳しい検査体制をとった。それに対し日本政府は、科学的根拠がない不当な措置であるとして二〇一五年、世界貿易機関（ＷＴＯ）に提訴するも、二〇一九年までに敗訴している。

〈4〉北朝鮮は、韓国籍の在日に対しても自国の旅券を発行している。そもそも韓国籍・朝鮮籍とは、日本の法制度上使用されている表記であるに過ぎない。

〈5〉日本の治安維持法は一九二五年五月、天皇の勅令によって日本「内地」と同時に、植民地にされていた朝鮮・台湾にも施行された。同法による逮捕者は数十万人に及んだとされているが、内地では死刑判決が一件もなかったのに対し、朝鮮では有名な事件における死刑判決だけでも一〇〇件を超えた。

〈6〉タイをはじめアジア各国で起きた通貨の下落現象。アジア各国が経済的に大きな打撃を受けた。韓国は、抜本的な経済改革を条件に国際通貨基金（ＩＭＦ）の救済を受けた。

〈7〉ただし、国際結婚であっても、戸籍に入るわけではないが夫婦同姓を選ぶことは可能だ。

〈8〉祭事は、それぞれの家によって祀るべき先祖の命日ごとに行う法事のこと。先祖を祀る行事のうち、秋夕《チュソク》など豊作を願う目的で行うのは茶禮と呼ばれる。

〈9〉性的少数者については、ＬＧＢＴ（レズビアン、ゲイ、バイセクシュアル、トランスジェンダー）という表現もあるが、最近ではＬＧＢＴＱ（ＬＧＢＴに当てはまらないＱ＝クエスチョニング、またはクィアの意味を加えた表現）やＬＧＢＴＱ＋などのように性の多様なあり方をあえて規定しない表現が登場している。本書では詳細の議論を紹介することができないため、「性的少数者」とのみ表現しておく。

〈10〉保育園・幼稚園と違い、小学校は昼過ぎに授業が終わってしまい、共働きの夫婦が挫折せざるを得ない状況は日韓共通の問題になっている。

〈11〉狂牛病が問題になった米国産牛肉の輸入を強行した李明博政権への抗議が全国に広がった。韓国でキャンドル・デモが広がるひとつのきっかけになったと言われる。

〈12〉兵役を終えた男性が公務員試験を受けた際、一定の加算点を与える制度。兵役の間、就職の準備などができないことなどを補うものとして一九六一年に初めて導入されたという。

II 韓国における歴史認識問題

そもそも歴史認識問題とは

異なる「当たり前」のこと

いま、市民社会における日韓交流はこれまでにないほど盛んになっている。個人レベルはもちろん、民間の団体や組織単位の交流も盛んだ。私の生まれ育った川崎市（神奈川県）は韓国の富川市《プチヨン》（京畿道《キョンギド》）と姉妹都市関係にあり、官民含めさまざまなレベルでの交流が長年続いている。私も縁があって川崎・富川の「ハナ（하나）」という高校生交流行事に何度か講師などの形でお手伝いをさせてもらった。二〇一五年、その「ハナ」の活動を通じて知り合った日韓の若者が結婚、富川市庁舎前で式を挙げるというおめでたい出来事もニュースになった。富川市長が祝辞に立ちたくさんの川崎・富川関係者が出席したという。

ほかにも日韓の間では、仕事や留学先など第三国で知り合った男女が結婚にいたるといったケースも多く、私の周囲にも日韓カップルは少なくない。米国やカナダ、豪州などの留学先をはじめ第三国で、文化的にも近く価値観の通じる日韓の学生が仲良くなるといったことは珍しくない。海外で知り合った日韓の若者が親しくなりお互いの国の言葉を学ぶようになった、などという話もよく聞く。まさに自然発生的な民間交流だ。日韓関係はそうした草の根交流が底辺にあるから心強い。

ところがあるとき、ソウルに住む日韓カップルのお母さんたちから私のところにSOSが届いた。韓国、あるいは日韓カップルに限らないと思うが、国際結婚家庭の多くは、女性よりも男性側の国に生活基盤を置くケースが多く、私が韓国で出会う日韓カップルも、多くの場合が日本の女性と韓国の男性という組み合わせだ。おそらく日本に住む日韓カップルの場合は、日本の男性と韓国の女性という組み合わせが多いのだろうと思われる。

富川市庁舎前で結婚式を挙げた日韓カップル(本人たち提供)

さて、日韓カップルのお母さんたちから届いたSOSが何だったかというと、就学年齢を迎える子どもを持つ親として、韓国の学校に自分の子どもを通わせることに漠然とした不安を感じる、ということだった。具体的にはつまり、韓国の学校で子どもたちが日本や日韓関係についてどう学ぶのか、そして自分は子どもたちにどう接したらよいのか、母親が日本人だからという理由で子どもたちがいじめられたりはしないだろうか、という心配だった。日常生活のなかで日本人であるからと差別を受けるようなことは今どきほとんどないと分かっていても、政治的に日韓関係はやはり機微なものを含んでいる。特に「学校では反日教育が行われている」などという無責任なネットの書き込みなどを目にしてしまうと、現地に生活している者としてそんなことはないと分かっていながら、やはり韓国の学校という未知の世界のことでもあり、また子どものことだけに、心配になるのも当然だろう。

もちろん日韓間に限ったことではないが、国によって教育内容が異なるのは当然であり、自国を中心に学ぶ歴史教育に違いが生じるのは理解できる。ましてや植民地という不幸な歴史において加害国と被害国という決定的な立場の違いのある日韓間に歴史教育の違いがあるのは何ら不思議なことではなく、むしろ当たり前のことと言えるかもしれない。特に近現代史をめぐる認識については、日韓それぞれの社会に流通する情報や日頃接するニュース・ソースの違いも大きく、教育以前に、社会において共有されているイメージや知識に質的にも量的にも大きな差異が存在する。

私の周囲にいる日韓カップルからは、歴史認識の問題や政治的な話題はお互いにあえて避けるようにしているという話をよく聞く。だから、子どもを抱えた日韓カップルの家庭で、特に韓国の教育を経験していない日本人の親にしてみれば、学校の歴史教育に不安を感じてしまうのは無理のないことである。

歴史認識のなかでも特に厄介なのは「独島《トクト》／竹島」問題だ。韓国では誰に聞いても「トクトヌ

ン・ウリタン（독도는 우리땅＝独島は私たちの地）」と即答するだろう。韓国では小中学校で「独島は韓国の領土」と教わっているに違いないが、それは現在、日本の教科書に書かれていることと真っ向から対立する。日韓カップルの家庭にとって、わが子に「日本の教科書は間違っている」と言うべきなのか、あるいは「韓国社会がおかしい」と言ってよいものなのか、果たしてどのように対処すべきなのか、これは避けて通ることの難しい深刻な問題である。

日韓カップルの馴れ初めにまつわるエピソードとしてよくあるのが、韓国側の両親や親戚のところへ挨拶をしに行った際、冗談めかしつつも（半分は本気で）「独島は誰のものだ？」という質問を浴びせられ困ったという体験だ。かつては、私もいろいろなところで似た経験をした。さすがに最近は初対面からそういう話題を持ち出してくる韓国の人も少なくなったようだが、少し親しくなると、そしてお酒が入るとこういう質問が出てくる可能性が高まる。私の場合、大概、「そうですね、ウリタン（私たちの地）ですよね、そのウリ（私たち）というのが誰のことを指すのかは分かりませんがね」などとはぐらかし、お互いに笑って済ませてしまうこともある。

ところが、よせばいいものを私もたまに意地悪い気持ちになって、相手についつい吹っかけてしまう。「不思議でしょうがないのだが、一体どうしてそこまで言い切れるのか根拠を教えてくれ」と。多くの場合、もちろん相手は何ら専門的な知識を持ち合わせていないので、「独島は自分が小さい頃から韓国の一部と聞いて育ってきた。独島の歌だってあるんだ」などと興奮しつつも、説得

テレビ番組の天気予報

力のある根拠を示せないことを悔しがる。もちろん、私がさらに意地悪い気を起こしてそれ以上突っ込んだりするようなことをすれば、その相手とはケンカになってしまうかもしれない。

私が韓国に初めて行った一九九〇年代などは、「竹島」という名前が今ほど知られていなかった。日本でその名前が広く知られるようになったのは、二〇〇五年に島根県が「竹島の日」（二月二二日）条例を制定してからだろう。実際は、韓国が実効支配している島であるため、日本からそこに渡ることはできない。それが、いまや日本でも「我が国固有の領土」という主張が常識のように語られ、教科書の記述を通じ学校でも教えられるようになった。

韓国の人々にとって「独島は韓国領」というのは当たり前のように認識されてきたことであり、例えば富士山が日本の象徴であるように、その島は韓国の人々にとって自明の韓国領であり、韓国の象徴でもある。テレビの天気予報では、一般人が住んでいるわけでもなく、本来なら地図上にも見えないほど小さなその島の天気が、全国の天気予報とあわせて紹介される。飲食店の割り箸袋に「独島」のデザインがあしらわれていたり、マグロの刺身など海鮮物を出す食堂が「独島」という名前であったりということもよく見かける。日本でも「君が代」

が流れるように、韓国の地上波テレビでも一日の放送が終了すると、国歌である「愛国歌《エグッカ》」〈註1〉が流れるが、その背景には独島の映像が登場する。高速道路のパーキングエリアにある公衆トイレに、何の脈略もなく「独島」の絵が飾ってあったりもする。日本の銭湯に富士山が描かれている、そんな感覚なのだろう。韓国の人にとって「独島」とは、それだけ「当たり前」の存在なのだ。

厄介な歴史認識の問題

ただ、韓国の人々にとって当たり前だからと言っても、現に日韓の間では問題となっているのがこの島だ。この問題、そもそも日本では「領土問題」としてのみ考えられているが、韓国においてこの問題は「歴史問題」である。ここで議論の詳細に踏み込むことはしないが、かつて植民地として「日本領」となっていた韓国(朝鮮)が解放され独立した際にその島がどちらの領有となったのか、さらに遡れば、どのような経緯で島が「日本領」とされるようになったのか。日本が近代国家として領土を確定させていく過程というのは、そのまま植民地支配を進めた歴史に重なるため、特に韓国との関係においてこの島の領有を論じるということは、そのまま歴史認識の問題となるのだ。

二〇一五年四月、日本の教科書検定結果が韓国でも大きく報道された。私が子どもの頃には名前すら聞いたことのなかった「竹島」の領有権について、日本のほとんどの教科書が「韓国が不法占拠」という政府見解にしたがい、日本にとって「固有の領土」であると記載するようになった。一方、韓国ではそれより以前から「独島」が学校教育の場で扱われてきた。私は、先のSOSを出してきた日韓カップルのお母さんたちと一緒に、当時、韓国の一部の小学校で配布されているという独島に関する副教材を見てみた。

もちろん「独島は韓国領」という前提ではあるのだが、その教材はカラー写真やイラストを多く使い、独島がいかに自然の豊かな美しい島であるかということを紹介するのみの内容だった。副教材は各学校の裁量に任されている部分であり、私たちが確認した教材がたまたまそうであったただけかもしれないが、「日本が自国領であることを不当に主張」などといった記載は一切なかった。幼稚園などでも「独島の歌」を教わったりすることがあるというのを知っていたので、漠然と心配をしていたのだが、実際に使われている教材が自然環境に焦点を当てた内容であることが分かって、私たちは少しほっとした。

それでもこの問題が厄介なのは、ときに攻撃的な領土ナショナリズムを触発し、また政治的にも利用されやすいからだ。韓国ではこの問題に関して多様な主張が許されない空気がある。もちろん歴史的な経緯を考えれば妥当な主張だが、どんな異論も許されないとすれば、それはやはり健全とは言えないだろう。特に教育の現場においてこの問題を扱うことは非常に難しい。

私は韓国の大学で、日本の文化や社会について紹介する講義を担当してきた。日本や中国からの留学生も少なくないが、受講生の多くは当然ながら韓国の学生たちだ。この講義はコロナ禍以前よりオンラインで行う授業だったため、受講生は毎学期三〇〇～五〇〇名と比較的多い。オンラインである上に学生数が多いため、教員との関係はほぼ一方通行になってしまい、学生も教員に対する信頼感を持ちづらい。さらに学生が数百名もいればいろいろなタイプの人間がいるものだ。やめておけばよいものを、私はそんなリスクの高い講義のなかで日韓間にくすぶる歴史認識の問題――「独島／竹島」問題だけでなく、「慰安婦」問題やヘイトスピーチといった機微なイシューについても言及していた。韓国において日本「全般」をテーマとしておきながら、日韓間で常に話題になるそうした問題に触れないことの方がおかしいと思ったからだ。

ただし、充分な時間もなく、しかも一方通行になりがちな講義のなかで伝えられることは限られているため、私は自身の主張を極力排し、事実関係の確認とその問題に対する見方をできるだけ中立的に伝えられるよう努めた。その甲斐もあって学期末に実施される匿名の講義評価では、「中立に努めようとする態度が良かった」、「機微な問題にもかかわらず客観的な視点を示してくれていた」などと好意的な意見を寄せてくれる学生が多かった。しかしその一方で、「日本を擁護する態度が不快だった」、「いくら日本人だとしても偏り過ぎている」などといった評価もあわせて受けることがあった。ただ、私は自身の立場を明らかにしていないため、こうした意見のほとんどは、私が日本人であるという先入観によるものでしかない。匿名の意見であるため、そうした意見を述べる学生たち一人ひとりとじっくり話してみる機会をつくれなかったのは残念だが、中にはきちんと名前を明かした上で意見メールを送ってくる学生もいた。成績評価者である担当教員に対して批判をするということは、韓国の大学ではなかなかできることではないのだが、そういう学生には特に、こちらも真摯に向き合いたいと思った。

ところが、あるとき受け取った意見には、「ここは韓国だ。〝タケシマ〟という表現を口にすべきではない。即刻撤回しなければ大変なことになる」などという脅迫じみたものがあり驚いたことがある。日韓間において問題となっている話題として「独島／竹島」と併記したことを問題視した意見だった。しかし、その学生が言う論理では「日本に行けば誰であっても〝タケシマ〟と言うべきだ」ということになってしまう。そういう問題ではないだろう。もちろん、こうした主張をする学生はごくわずかである。近年は、多くの学生が歴史認識の問題や日韓間の葛藤といった政治的なものを避けようとする傾向すらあり、それはそれで問題だと思っている。いずれにしても私としては、少なくとも大学という教育の場においては、問題の背景について知り、自分なりの考えを根拠とあわせて探究してほしい。最終的に導かれる結論がどのようなものであろうと、まずはその過程を重視してほしいと思っている。

しかし、これは韓国だけの話ではない。いまや日本の学習指導要領や教科書検定でも、韓国が島を実効支配していることが「不法占拠」であると子どもたちに教育するようになっている。専門家の間でも議論が存在する問題をめぐり、どちらか一方の主張だけが教育の現場で扱われるとすれば、それは韓国であっても日本であっても問題だと言わざるを得ない。本来、なぜそのような議論や葛藤が生じているのかを考えることこそが重要なのではないだろうか。

教育の場だけではない。韓国では一時期、日本を批判する際に「右傾化」、「軍国化」といった言葉がよく使われた。また、一方で韓国側の立場を代弁するかのような主張をする日本人を「良心的日本人」と呼んだ。もちろん何らかの一面を捉えてこれらの表現を使うことはあり得ると思うが、短絡的にこうした言葉で現象を捉え扇動するかのような新聞記事などを見ると閉口してしまう。日本でいま韓国を「反日」と表現し理解した気になってしまうのもまた同様だ。「反日」と断定することでそれ以上の背景を理解しようともしない態度などは無益であるばかりか、有害ですらある。

ただ私は、安易な妥協や譲歩、あるいは回避もまた問題の解決にはならないと考える。私は、日韓民間交流の場にこれまで何度も居合わせたことがあるが、ときに参加者たちは交流の妨げになるからと歴史認識の問題を避けることがある。学生交流に参加した韓国側の付き添い教員が事前に、「歴史問題は持ち出さないこと」と学生たちに釘を刺している場面を見かけたこともある。日本の文化を紹介する大学の講義で、私が歴史認識の問題に言及したことに対し、「自分は日本が好きでこの講義を受けているのだから、政治的な話題はやめてほしい」といった意見をする学生に出会ったこともある。

一方、何の脈絡もなしに韓国の若者に謝罪をする日本人を見かけたことがある。その時は、謝罪を受けた韓国の若者も当惑し、「植民地の過去はあなたが悪いわけではないですから」と返すしかなかった。もちろん、長い交流の一場面として、またひとつの過程として政治的な話を避けたり、その人なりの経緯や考えがあって謝罪したりするということはあるだろうから、これもまた一概には言えない。ただし、日韓の交流がそうした関係に終始してしまうとすれば、それは結果的に、問題を棚上げにしてしまうことにしかならない。かと言って、日韓双方が「我が国は……」と、それぞれの国民が政府と一体となり、相手をいかに打ち負かすかといった発想の議論に傾いていくことにも危うさを感じる。

日韓間の歴史認識問題を厄介だと考える人たちがいるのも当然だ。しかし、これからの日韓関係をより発展的なものにしていくためには、それがいかに厄介なものであったとしても、正面から取り組み克服しようとする努力を怠ってはいけないと思っている。

反戦か？　戦争美化か？

日韓間における歴史問題は、それぞれの立場から異なった見方をしているがゆえに生じる認識の行き違いだ。韓国社会で当然のように思われていることも、日本社会ではまったくそうではないとき、日本の人たちの目には「理解不能な韓国」に映ってしまうのだろう。それはおそらく逆もしかりだが、近年に限って言えば、日本社会による韓国への理解不足がより深刻化しているように感じる。あるいは、隣国である韓国に対して、日本社会があまりにも同じ価値観やものの見方を期待し過ぎているのかもしれない。

そもそも異文化理解というものは、相互にありのままを受け入れるところから始めなければ、偏見や先入観がその発展を妨げてしまう。私たちは韓国社会のさまざまなことを理解するのに、あまりに自分たちがもつ理解の枠組みだけで捉えようとし過ぎてはいないだろうか。同意しがたい主張や意見に安易なレッテル貼りをし理解したつもりになってしまってはいないだろうか。もしも解決すべき歴史認識の問題があるとするならば、それぞれの主張や認識の違いを知り、その経緯や背景について充分に知ることがまず重要なのではないか。

日本では以前、夏休みも半ば、「終戦記念日」の八月一五日頃によくテレビ放映されていた映画に「火垂るの墓」（一九八八年）があった。作家の野坂昭如が自身の体験をもとに書いた短編小説をスタジオジブリの制作で高畑勲監督がアニメ化した作品だ。主人公の清太とその妹、節子が敗戦前後の神戸で必死に生きようとする姿が戦争の不条理と悲惨さを教えてくれる、涙なしには観ることのできない、いわゆる反戦映画と言えよう。幼い節子が子どもらしい口調で「ドロップ」をねだる場面に胸を締め付けられるような気持ちになったのを今でも思い出す。

韓国では二〇〇五年、この「火垂るの墓」の劇場公開が一度決まっていたにもかかわらず、頓挫するという出来事があった。いまや韓国でも「となりのトトロ」や「もののけ姫」、「崖の下のポニョ」など、スタジオジブリの作品は有名で、日本や世界と変わらないほど人気だが、その当時はまだそれほどではなかった。その当時、「火垂るの墓」に対し、「戦争を美化する作品だ」との批判が韓国社会で巻き起こった。その結果、映画は公開直前に事実上の中止へと追い込まれてしまったのだ。韓国にとって、かつての戦争における日本はあくまでも加害者であり、被害者ではない。民間人であっても日本人である主人公が戦争被害者として描かれる「火垂るの墓」は歴史を歪める映画だ、ということになってしまったのだ。

日本においてヒロシマ・ナガサキは反戦と平和の象徴だ。その一方で、米国など連合国軍の立場からは、あの原爆投下が戦争終結のために必要な行為であったという見方がひとつの常識でもある。一九九五年、米国スミソニアン博物館で原爆の展示が中止になったことなどは、日本と異なった原爆の評価が存在することを端的に示している。安全保障分野においてこれほどまでに強固な同盟関係を構築してきた日米間においても、その立場の違いによって異なった認識が存在するのだ。

二〇一七年にノーベル平和賞を受賞した国際ＮＧＯ「核兵器廃絶国際キャンペーン（ＩＣＡＮ）」とともに核兵器禁止条約の発効に貢献したカナダ在住の被爆者、サーロー節子さんはかつて、原爆の被害を世界に訴えるなかで侵略戦争の加害国である日本の立場を批判された経験を語っていた。原爆の被害に対する韓国の人々の気持ちも同様に複雑だ。広島平和記念資料館を訪れた韓国の人々の間からは、展示に違和感を覚えたという話がよく聞かれるという。展示を見て不快感を顕わにしたり、怒り出す人もいたりすると聞く。「日本は世界で唯一の被爆国である」という被害者性の強調に強い違和感を覚えるというのだ。

日本のように原爆の被害について身近に知ることのできる機会が、韓国の人たちには少ないということもあるだろう。しかし、たとえ原爆の恐ろしい被害について知ったとしても、やはり韓国の人々にとって日本という国は被爆国である以前に、朝鮮半島を植民地支配し、あらゆる資源を収奪した帝国主義の過去を持つ国である。ヒロシマ・ナガサキを知る多くの日本人にとって、たとえどんな大義名分があったとしても原爆投下が正当化されることは許しがたいのと同様に、日本による植民地支配という加害性がないがしろにされることは、韓国の人々にとっていかなる理由によっても受け入れがたいことなのだ。

しかしそれは、原爆の被害について韓国の人々が軽く考えているということではない。以前、韓国のある平和運動家の広島訪問に通訳として同行する機会があった。彼は日頃から平和運動に取り組んでいる人物だけあって、当然ながら原爆の恐ろしさを知り、核兵器に対する批判的な考えを持っていた。その一方で、日韓関係をめぐっては、日本の歴史認識に対して強い危機感を持ち、厳しい立場をとっていた。そのような彼が、広島の人々との集いの場で語った言葉が印象的だった。

「私たち韓国人が、いつの日か日本の方たちと同じように原爆の被害について向き合えるよう、日本の方たちにはまず植民地をめぐる歴史認識の問題についてきちんと向き合ってほしい」と、彼は話した。到底「反日」などと片付けることのできない言葉だ。私たちはヒロシマ・ナガサキのことを語るとき、その戦争がどのようにして起き、原爆被害のほかにどれほどの犠牲をもたらしたのかについて、どれだけ思いを巡らしているだろうか。私たちはアジアにおける戦争や植民地の被害についてどれほど自分のこととして考えてきただろうか。その戦争に日本はどのような責任を負っているのか、「日本人」としての立場について、改めて考えさせられる経験だった。

一方で、被爆者支援や被爆者二世をめぐる未解決の問題は、日本にとどまらず韓国社会の問題でもある。原爆の被害を受けたのは日本人だけでなく、被植民地の出身者、つまり台湾や朝鮮半島、それ以外の地域の人々も含まれていた。広島と長崎で被爆した朝鮮半島出身者は約七万人、韓国に戻ったのはそのうち二万三千人ほどと言われるが、日本政府が認めた被爆者手帳を持つ韓国在住者は二千人程度だ。なぜそれだけ多くの朝鮮半島出身者が広島や長崎で被爆したのか。日本が朝鮮半島を植民地化した結果、少なくない朝鮮人がさまざまな形でそこに住むようになっていたことを忘れてはならない。

広島では、一九七〇年に在日本大韓民国民団広島支部によって韓国人原爆犠牲者慰霊碑が建立されたが、それは長きにわたって平和公園の敷地外にあった。一九九九年になってようやくその慰霊碑は平和公園内に移設されることになった。また、韓国人をはじめ日本国外在住の被爆者は、約三〇年もの長きにわたって国内被爆者と支援内容に差がつけられてきた。二〇〇三年になってようやく日本国外在住の被爆者も被爆者保護法による手当の支給対象となったのである。

一方、米国と同様に原爆投下を必ずしも否定的に捉えていない韓国社会において、自国の被爆者に対する関心が決して高くないのもまた事実である。被爆国でありながら米国による核の傘を借りる日本は、二〇二一年に発効した核兵器禁止条約に参加していない。そして、それは韓国も同様だ。大韓赤十字社に登録された被爆者は四四〇四人で、うち生存者は二〇四三人（二〇二一年時点）である。韓国政府は二〇一六年になってようやく原爆被害者法（韓国人原子爆弾被害者支援のための特別法）を制定した。韓国に住む被爆者のうち約一五％にあたる三三一人が住む陜川《ハプチョン》郡（慶尚南道《キョンサンナムド》）には、そのうち約一〇〇人の被爆者が生活する福祉会館があり、二〇一七年にはそこに原爆資料館も建てられた。二〇二一年には追悼施設の設立が検討され始めるなど、韓国人の被爆者をめぐる問題が、遅まきながら少しずつ考えられるようになっている。

実は、「戦争美化」との批判を受けた「火垂るの墓」は、二〇一四年に韓国で改めて劇場公開されるに至った。二〇一七年には、やはり戦中における庶民の姿を描き前年に日本でも大ヒットした「この世界の片隅に」（こうの史代原作、片渕須直監督）が公開され、話題にもなった。どちらも日本のアニメーション人気にあやかっているという側面があり、また、「日本軍国主義の美化だ」といった批判がまったくなくなったわけではないが、映画を通じて感じられる戦争の不条理に目を向ける声が少しずつでも聞かれるようになっているのもまた事実だろう。私は、日韓間の歴史認識問題においても、反戦平和や被害者の救済といった普遍的な価値を共有することから始めることで可能になる議論があるのではないかと考えている。

「過去事清算」とは

日本とは切っても切れない近現代史

一九九〇年代、大学生だった私がソウルを初めて訪れたとき、韓国語もろくに話せない私たち日本からの留学生に付き添ってくれたのは、協定校の日語日文学科で学ぶ同世代の学生たちだった。彼ら、彼女らは驚くほど日本のことについて詳しく、日本語も実に堪能だった。そんな韓国の学生たちと毎日付き合ううちのふとした会話のなかで、ある学生が口にした言葉に私は驚いた。

「日本のせいで韓国が南北に分断された」と当たり前のように言うのである。私は韓国に行くまで、朝鮮半島の南北分断について日本と直接関連付けて認識する機会がまったくなかった。

しかしよく考えてみれば、一九四五年に日本がポツダム宣言を受諾したことで、日本の植民地であった朝鮮半島は北緯三八度線を境に南が米国、北がソ連によってそれぞれ管理されることになった。その結果、半島の南北それぞれに大韓民国（一九四八年八月一五日）と朝鮮民主主義人民共和国（一九四八年九月九日）という二つの「国家」が樹立宣言されることになる。その一連の流れを要約すれば、日本が朝鮮半島を植民地化していたために米ソが介入し分断という事態が生まれたということになり、「朝鮮半島は日本による植民地支配がなければ南北に分断されずに済んだはずだ」という理解になるわけだ。いまとなっては私も当時の無知を恥じるしかないが、朝鮮半島の南北分断について、漠然とした「冷戦の悲劇」という程度に思っていた私にとって、韓国の友人から聞いた言葉は大きな衝撃だった。

いまの韓国はその成立の経緯からして、日本による植民地支配の過去を背景に持つ。大韓民国の憲法は、前文において自国を「3・1運動によって建てられた大韓民国臨時政府の法統」を継承するものと規定している。ここで言う「3・1運動」とは、日本の植民地支配に抗い一九一九年三月一日から全国的に巻き起こった独立運動のことであり、「臨時政府」とは日本の植民地支配から逃れた独立運動家たちによって上海に立ち上げられた、現代韓国のルーツとされる組織だ。

いまの韓国では三月一日が独立運動を記念する日として休みの日となっており、立派な記念館も建てられている。つまり、韓国の人々にとって大韓民国という国家は、日本による植民地支配の歴史を抜きにしては語れないものなのだ。

韓国では歴史のことを「過去事《クァゴサ》」とも表現する。日韓間の歴史問題は、かつての私にとって、一九四五年八月一五日の「終戦」をもって文字通り終わった歴史上の出来事であった。八月一五日――日本の敗戦は「終戦記念日」として記憶されている。しかし、同じ記念日でも韓国ではこの日を「解放」の日とし「光復節《クァンボッチョル》」と呼ぶ。日本の植民地から解放され光を取り戻した日という意味だ。韓国の人々にとって日本による植民地支配の記憶はいまに続く「過去事」であり、「解放」後のいまも終わることのない、重要なルーツとなっている。

その一方で、日本では「敗戦」という表現すら一般的ではない。「戦前」の記憶と私たちが生きる「戦後」のいまは、人々の意識のなかで、一九四五年の「終戦」をもって断絶されている。「戦前」と「戦後」の間にあったはずの戦争は観念的にのみ記憶されているのだ。敗戦の主体的責任は誰に帰すともなく曖昧なままに、一九四五年に終わった戦争はまるで他人事のように扱われてきた。

「反日」と「親日」

日韓関係について、特に歴史認識の問題をめぐってメディアが伝えるイメージはいつも断片的になりがちだ。日本軍「慰安婦」の問題もその代表的な例だろう。韓国には「慰安婦」の被害者がともに暮らす施設がある。二〇〇〇年代前半、ソウルの郊外にあるその施設、「ナヌムの家」(「ナヌム〈나눔〉」とは「分かつ」という意味。仏教団体が運営する)を私が訪ねていたときのことだ。親交のあった一人の被害女性と私が一緒にいると、韓国のあるテレビ局が「独島問題」の取材として「慰安婦」被害者のコメントを取りにやって来た。私と一緒にいたその被害女性は、取材クルーに促されるままにカメラに向かって日本批判の言葉を並べ始めた。ところが、ふと傍らにまだいた私に気付くと、「日本政府は悪い。でも、いい日本人はたくさんいる」と話の向きを変えた。取材クルーは一瞬戸惑いの表情を浮かべ、別の被害女性にコメントを求めるため去って行った。

韓国ではかつて「良心的日本人」という表現がよく使われた。私も「良心的日本人」と呼ばれる経験をしたことがあるが、そう呼ばれるのはどうしても好きになれなかった。「良心的日本人」とはつまり、「あなたは『悪い日本人』であるにもかかわらず『良心的』ですね」と褒められているように感じたからだ。

かつての韓国社会にこうした二分法的な発想で日本を捉える見方があったのは事実であり、韓国メディアはそのステレオタイプを安易に利用してきた。しかし、韓国の人々が日本を激しく批判するからといって、それは植民地支配の歴史をめぐる日本の態度に向けられたものであり、日本を全否定しているわけでもなければ、ましてや私たち日本人一人ひとりに向けられたものでは決してない。かつて私は韓国の友人から、「日本は嫌いだが日本人は好きだ」と言われた経験もある。それを混同して韓国の人々をひっくるめて「韓国は反日」と理解するのは、それこそステレオタイプに囚われた見方でしかない。

韓国をめぐってよく聞かれる「反日」の言葉。こうした言葉は何かを理解する上で分かりやすい反面、単なるレッテル貼りに陥ってしまい、それ以上の思考を停止させるリスクを伴っている。本来、物事はそれほど簡単に割り切れるものばかりではない、ということを念頭に置いた上で考えてみたいのが、韓国社会で独特な意味を持つ「親日派《チニルパ》」という用語だ。この用語ほど、日韓でその印象が大きく異なり、また聞き手によって異なった意味で理解されてしまっているものはないかもしれない。

日本語で考えた場合、「親日」という言葉は、字面からは単に日本に好意的な人のことを指すようにも取れるが、実はそれほど単純でないのがこの用語だ。韓国でこの言葉が使われる多くの場合、それは歴史用語として理解されてきた。「親日派」とは、植民地支配に協力した、つまり日本の帝国主義に加担した人々のことを指すのだ。つまり、当然ながら韓国では「親日」という単語は決して肯定的な意味で使われない。さらに、その言葉が持つ歴史的な意味は、植民地時代に日本の協力者となった人々を指すだけにとどまらない。一九四五年に朝鮮半島が植民地から解放された後も、「親日派」は権威主義政治体制に留まり韓国社会の権力を独占し民衆を苦しめてきた側の人々であったと認識されているためだ。

二〇〇四年、韓国の国会でこの「親日派」を対象にした「日帝強占下親日反民族行為真相糾明に関する特別法案」が通過すると、日本では一部のメディアがこれを「反日法」と伝えた。確かに日本語の感覚からは物々しく見える法案である。しかし、これを日本批判のためにつくられた「反日」法案であると解釈するのは完全な誤りだ。この法案が対象としたのは、韓国社会において、「清算」されるべき対象としての「親日派」であるにすぎないからだ。

どこの国にとっても自国の歴史をどう描くかということは、自国のアイデンティティをいかに定めるかということに繋がる。譲れない歴史認識の違いが外交問題にまで発展する理由のひとつはそこにあると言ってもよいだろう。韓国における「国史」、つまり韓国史のうち特に近現代史の教育は、日本によって主権を奪われた上に、植民地から解放された後には北朝鮮との体制競争を余儀なくされた「過去事」を扱うことになり、韓国という国家にとって死活問題と言ってもよい重要なアイデンティティにつながる。そう考えれば、歴史教育のなかで日本による植民地支配の過去が強調されるのは当然のことであり、日本でそうした韓国の歴史教育が「反日教育」と騒がれるのは充分でない理解にもとづく極めて一面的な捉え方と言えるだろう。

韓国では一九九一年から二〇〇九年にかけて『親日人名辞典』（全三巻、民族問題研究所）なるものが発刊された。この本には、さまざまな歴史的事実関係を調査し「親日派」と判断された韓国の人物、四三八九人が収録されている。植民地からの解放以降、朝鮮半島はすぐさま分断の危機を迎え、さらに大韓民国政府の樹立以降も世界的な冷戦と南北分断という時代背景のなか、植民地支配に協力的であった「親日派」が充分に糾弾されることなく温存された。「親日派」は権威主義体制のもと韓国の中枢に居座り続け、既得権益をむさぼり続けた。その結果が、先の朴槿恵《パククネ》政権による政治腐敗スキャンダルであったという見方もある。本まで製作し「親日派」を糾弾するという徹底ぶりには魔女狩りだとの批判もあるが、健全な韓国社会を築くためには「親日派」の清算が不可欠であるというのが、韓国の進歩派が示すひとつの考え方だと言える。

ニューライトの台頭

ある人は韓国の歴史教科書について、近現代史に割かれている分量があまりに多い、特に植民地時代の記述が過剰だとの批判をする。しかし、歴史の記述はその歳月に比例して分量が決まるわけではない。それはむしろ、韓国の歴史において近現代史、特に植民地時代がそれほど重要だということの証と見るべきだろう。その近現代史をめぐり、韓国ではさまざまな議論が沸き起こっている。

「反日教育」という批判は日本の右派だけが行っているわけではない。韓国内でも現行の教育を「反日教育」と批判する声が存在する。特に「ニューライト」と呼ばれる人々は既存の右派・保守派とは少し異なった立ち位置から、韓国内の左派あるいは進歩派を批判し、教育現場で一定の力を持った全国教職員労働組合（全教組）を目の敵にしている。それはまるで、日本において戦後教育の問題はすべて日本教職員組合（日教組）にあるかのように、一部の政治家が思い込んでいるのと似た光景だ。このニューライトと呼ばれる人々の中心には、かつて「植民地近代化論」を唱え物議を醸した研究者たちがいた。植民地近代化論とは、単純化して言うならば、韓国の近代化は植民地支配のおかげであったとする見方であり、植民地支配を行った日本の加害責任に対し非常に寛容だとして、批判の対象にもなった。

ニューライトは二〇〇〇年代に入って政治的な勢力として注目を集めた。「教科書フォーラム」というニューライト系団体とそれに同調する保守派の政治家たちが、既存の歴史教科書を問題視し始めたのだ。フォーラムの支持団体には保守的な政治団体や教育関連では全教組に対立する教職員組合などが名を連ねた。二〇〇五年に発足した教科書フォーラムは、当時の高校で最も多く使用されていた金星社《クムソンサ》の教科書『高等学校韓国近・現代史』について、「大韓民国政府の正統性を認めようとしないばかりか、北朝鮮の現代史について寛大な態度を示すと同時に、共産主義体制の反人権的な性格について沈黙している」と断じ、「偏向と歪曲」が深刻であると批判した。

そもそも教科書の記述をめぐる問題は、韓国社会が民主化を果たして以降、近現代史研究の発展にともなって、それまでの権威主義体制下における歴史観が正されるなかで注目を集めるようになった。例えば、一九六〇年に李承晩《イスンマン》大統領を下野させた運動は、「4・19学生革命」とかつて表現されていたが、学生だけの運動ではなく社会全般に広がった民衆運動であったことを考慮し、いまでは「4・19革命」と呼称するようになっている。また、朴正熙《パクチョンヒ》大統領誕生のきっかけとなった一九六一年の「5・16軍事革命」は、非民主的な軍事クーデターであった側面を明確にし「5・16軍事政変」と呼称されるようになった。

しかし、歴史教育におけるこうした歴史観の転換に保守派は不満を募らせてきたのである。教科書フォーラムは二〇〇八年、民主化以降の歴史観を反映した既存の教科書に対抗する目的で、『代案教科書　韓国近・現代史』を一般書籍として出版した。二〇一三年には、それを土台にした『高等学校韓国史』(教学社《キョハクサ》)が教科書として政府の検定を通過し注目を集めるも、その教科書は現場の教師や多くの歴史学者たちの強い反発によって、最終的に教育現場で使用されるには至らなかった。ただ、この教科書をめぐる一連の騒動は、ニューライトの歴史観が保守派を中心に少しずつ社会的地位を得ていくと同時に、歴史教科書の「国定化」が議論される背景となった。

日本では「新しい歴史教科書をつくる会」(以下、「つくる会」)が既存の教科書を「自虐史観である」と批判し、歴史修正主義者たちに支持された。「つくる会」が独自に編纂した歴史教科書はやはり広く普及はしなかったものの、他の教科書の記述がその影響を受けるようになった。二〇〇〇年代、まさに日韓で似たような状況が展開されたと言えよう。

国定教科書をめぐって

歴史を知ろうとしたとき、数式のように一つの解が、唯一の真実のみが存在するものと考える人は多いかもしれない。しかし、一つひとつの史実、つまりファクトは唯一であっても、それをどう捉えるかという解釈や分析には、価値観や立場、視点などによってさまざまな歴史の側面が存在し得る。「韓国の歴史観は独特だ」と、あたかも日本の、あるいは自身の歴史観と異なる見方を排除するかのような態度を目にすることもあるが、それはあまりに独善的だ。

一方で、韓国の現代史をめぐる歴史観については韓国内でも論争が起きている。歴史の国定教科書導入をめぐって賛否の議論が巻き起こったのがひとつの例だ。二〇一五年、当時の政府がそれまで検定制度に依っていた中学・高校の歴史教科書を国定に一本化するとの方針を打ち出したのである。

日本において小中高で使用される教科書は、検定制度を通じて合格したものでなければならない。文部科学省は、「教科書の著作・編集を民間に委ねることにより、著作者の創意工夫に期待する」とともに、「適正な教育内容の維持、教育の中立性の確保」のために、教科書として適切か否かを審査することとしている。検定は通常四年ごとに行われ、例えば、二〇二一年の時点で使われている中学校歴史教科書の場合、それぞれ異なる出版社から発行された八種の教科書が検定済教科書として使用されている。

ただ、世界の教科書制度はさまざまだ。日本と同じ検定制を採用しているのはドイツ。英国、フランス、オランダは民間の出版社が発行した教科書を学校や教師が自由に選ぶ自由採択制をとっているという。カナダやイタリアは民間の出版社から発行されている図書について審議を通じて教科書にする認定制だ。そして、国がつくった教科書のみ使用が許されるのが国定教科書制度である。日本では現行の検定制度ですら教科書の検閲に当たるとして根強い批判があるが、国定制となると、唯一の教科書を国が直接つくるということになる。

韓国はいま教科書によって、検定、認定、国定制を使い分ける「混用制」をとっている。韓国ではもともと一九六〇年代後半から国定教科書が使用されてきたが、民主化以降の制度改正によって検定制度へと段階的に移行してきた。つまり、かつての国定制を検定制に改めた韓国において、再び国定制を導入するというのは、時代を逆行する試みと捉えられた。しかも、その「時代錯誤の制度変更」を進めようとしたのが、かつて国定教科書制度を築いた朴正煕大統領の娘である朴槿恵であったため、独裁政権への回帰を目指すもののように人々が警戒感を募らせたのは当然かもしれない。国定教科書の問題は、内容の偏り以前に、教科書の記述を国家が独占することによってひとつの歴史観が押しつけられることになりかねないとの懸念があった。

しかしその一方で、歴史教育（高校韓国史・中学歴史）の現場で使われている民間の検定教科書が「左派歴史学者らに掌握され歪んだ歴史記述がなされている」と主張する一部の右派・保守層によって、国定教科書の導入が支持されたのだ。支持派の人々は、既存の教科書では例えば、韓国の初代大統領である李承晩や、韓国の経済発展を成し遂げた朴正熙大統領を否定的に紹介し、北朝鮮に対して融和的であった金大中《キムデジュン》・盧武鉉《ノムヒョン》大統領をより大きく取り上げている、と批判した。

また、大韓民国について「政府樹立」、北朝鮮を「国家樹立」と表現しているのは、いまの韓国を否定し北朝鮮こそが正当な国家であるという「左傾化」の表われであるとする批判もあった。朴槿恵大統領は、「検定教科書執筆陣の八〇％が偏向した歴史観を持った特定の人脈に通じている」と断じ、「結局はひとつの左傾向の教科書であると見なさざるを得ず、国定教科書が不可避である」と主張した。

通常二年程度を要すると言われる教科書の編纂だが、強い批判の起きるなか、実質一年にも満たない異例の早さで国定教科書は執筆され、二〇一七年度の新学期からは教育の現場で使用されることが決まった。しかし、当時使われていた八種の歴史教科書は、保守派である李明博《イミョンバク》政権のもとで作成された基準によって検定を経たものでもあり、政府の言う「左傾化教科書」の批判は説得力を持たず、国定教科書を通じた歴史認識の統制そのものが目的なのではないかと疑われた。国定教科書の執筆には、国内の大学で歴史教育にかかわる多くの研究者、歴史家たちが一切協力しないなどと立場表明を行い、一部の歴史学者はもちろん、現場の教師や国定教科書を使用し実際に学ばなければならなくなる生徒たちからも強い反発の声が上がった。

そうしたなか、完成した高校「韓国史」国定教科書が二〇一七年二月に公開された。しかし、その教科書は急ピッチで執筆されたためか多くの誤りが指摘される事態となった。史実に反した誤記はもちろん、写真とその説明が合致していなかったり、歴史上の出来事について日付が誤っていたりと、単純な事実誤認一九五件、説明されている内容とは関係のない史料が掲載されるなどの誤解を生むような記述三二八件、韓国語として間違った文章一七件を含む、計六五三件の問題個所が、現職の歴史教師や市民運動団体などによって指摘された。

最終版の国定教科書では七六〇件の修正が反映されたというが、多くの地方教育庁が採用拒否の姿勢を示した。そのため、政府教育部（文部科学省に該当）は、二〇一七年度からの国定教科書一本化を見送ることとし、二〇一八年度から新しく編纂された国定教科書を使用するか従来の検定教科書を使用するかは、学校の判断に任せるとする方針転換を余儀なくされた。事実上、国定教科書の導入が頓挫することとなったのだ。その後、朴槿恵大統領の弾劾罷免を受けて誕生した文在寅大統領は、二〇一七年五月の就任後、即座に歴史教科書の国定制度を廃止するとし、韓国史の国定教科書をめぐる騒動はひと段落したのだった。

過去をどう「清算」するのか？

韓国語の表現として、日本語の感覚からは違和感を覚えるかもしれない言葉に「歴史清算」や「過去事清算」がある。歴史を「清算《チョンサン》」するとは一体どういうことなのだろうか。日本語と韓国語は文法的な類似性とともに同じ漢字文化圏であることから、一対一で言葉を照らし合わせることができてしまう分、意訳をすることが躊躇《ためら》われ、直訳することで違和感を覚える表現になってしまう場合も多い。歴史とは史実を積み重ねた普遍の真実を指すものと単純に考えていたかつての私も、「過去事清算」という表現を初めて聞いたとき、まるで借金のように歴史を清算することなどできるのだろうかという疑問を感じた。しかし、韓国の近現代史を学ぶにつれ、歴史を「清算」することの意味がどういうことなのか少しずつ理解できるようになった。

大韓民国の成立（一九四八年）、あるいは植民地支配からの解放（一九四五年）以来、否、それ以前の時代から現在に至るまで「清算」すべき過去の事、つまり歴史の真実として共有されるには充分な社会的合意が形成されていない問題が多く残されている。韓国における過去事清算とは、大韓民国の歩みをめぐる「負の歴史」をいかに記憶すべきか徹底検証することであり、国の在り方を模索し追求するひとつの過程ともなっている。国交正常化を含む日韓関係や「親日派」の問題もまた、そうしたなかで取り上げられる過去事清算の対象として捉えられている。

韓国政府自らが本格的な過去事清算に取り組み始めたのは、一九八七年、民主化以後のことだ。軍事独裁政権の流れを汲む盧泰愚《ノテウ》政権が、前政権のもとで引き起こされた民衆弾圧の歴史である5・18光州《クァンジュ》民主化運動〈註2〉を「清算」することで、それまでの権威主義体制との決別を強いられたことに始まった。続く金泳三《キムヨンサム》政権以降も同様に、韓国社会が民主化への道を歩む過程で起きた虐殺事件や民衆弾圧・人権蹂躙の歴史について、真相究明と責任追及、そして被害者への補償や名誉回復を進めることが求められた。

一九九〇年代には、朝鮮戦争の最中に共産主義パルチザン殲滅作戦として、子どもを含む多くの民間人が韓国軍によって殺された居昌《コチャン》良民虐殺事件や、5・18光州民主化運動に関して特別法が制定された。二〇〇〇年代に入ってからも、韓国政府の樹立を前に、反共を掲げた極右団体や警察など公権力によって多くの島民が虐殺された済州《チェジュ》4・3事件や、やはり朝鮮戦争中、連合国軍として参戦していた米軍によって起こされた民間人虐殺、老斤里《ノグンリ》事件など、特別法の制定を通じて、韓国現代史における負の遺産を清算しようとする試みが続けられてきた。

歴代政権のなかで過去事清算に最も積極的に取り組んだのが盧武鉉政権であったと言われる。盧武鉉政権は、二〇〇四年の「日帝強占下親日反民族行為真相糾明に関する特別法」に続き、二〇〇五年、「真実・和解のための過去事整理基本法」（過去事法）を制定し、国家権力の犯した人権侵害と不法行為の歴史を国家として包括的に「清算」することを目指した。

過去事法のもとでは「真実・和解のための過去事整理委員会」（真実和解委員会）が設置され、一万一一七五件におよぶ被害者申告のうち、二〇一〇年までに八四五〇の案件について真相究明がなされた。真相究明がなされた事案のなかには、一九八〇年代、全斗煥《チョンドゥファン》元大統領が報道統制の目的からメディアの統廃合に関与したとされる事件や、朴鐘哲《パクジョンチョル》拷問致死隠蔽・捏造事件、スパイの濡れ衣を着せられた在日コリアンの監禁・拷問事件、一九六〇年代に北朝鮮に拉致された後に帰還した漁民に対するスパイ容疑事件、朝鮮戦争のさなか、左翼運動と関連したとされ数千名が大量に虐殺された保導連盟事件など、韓国の現代史における重要な事件が含まれた。

一方で、被害の申告期間が一年と短かったことなどから真相究明が充分ではなく、過去事法制定以降に起きた公権力による弾圧事件など、調査すべき対象はまだまだあるとの指摘がなされている。また、すでに真相究明がなされた事件についても、国家による補償など被害者救済の措置が不足しており、それを国家に強制することもできない点で不充分な「清算」であるとの指摘が尽きない。二〇二〇年には過去事法が改正され、一〇年ぶりに真実和解委員会が再発足した。一〇年前の活動では足りなかった点を補う形で、人権侵害事件など歴史的に重大な事案の過去事清算が進められることが期待される。

韓国社会が自らの過去を「清算」するということは、権威主義体制から真の民主主義体制へと移行するその過程であるとの考え方にもとづく。「親日派」をめぐる問題も、そうした民主主義社会の発展という意味から、避けて通れない克服すべき課題とされている。もちろん、五年任期で再選が禁じられた大統領制を持つ韓国において、現政権が前政権までの実績を否定することで自らの正統性を確保しようとする傾向があることは否めない。しかし、過去事清算とは単なる政争の具ではなく、歴史の上に成り立つ国の在り方を追求するために多くの葛藤を招きながらも必要な過程として行われてきた。韓国において歴史教科書の国定化やその史実に関する解釈と評価をめぐって激しい議論が巻き起こった理由もそこにある。韓国において、歴史をめぐる不断の葛藤は現在進行形なのだ。

歴史とは普遍的な史実に基づいたものであるという意識がおそらく大勢である日本社会において、韓国の歴史に対する姿勢は異質に映るかもしれない。ところが、図らずも近年の日本では、普遍とされていた歴史がその認識次第でいかようにも異なった形に読み替え語られるようになっている。歴史修正主義の台頭である。敗戦から八〇年を迎えようとする日本社会が、「歴史の清算」をめぐって葛藤する韓国社会をどのように見るべきか。「負の歴史」を抱えた国家がいかに過去と向き合ってきたのか、日本社会は韓国の姿から気付くこと、考えるべきことがあるのではないだろうか。

日本の植民地支配という史実そのものを否定する人はさすがにいないだろう。にもかかわらず、いまの日本社会は、その過去を文字通り過ぎ去ったものとして忘れ去ろうとしているかのようである。あるいは、史実を史実として追うことばかりに終始し、また過去のことを過去のことと客観視しようとするあまり、その史実が、現在の社会においてどのような意味を持つものであるかについて、無頓着になりすぎていないだろうか。歴史の清算とは、過去を終わらせるためだけに行うのではなく、今この社会のために過去とどう向き合うかという姿勢なのではないかと思う。

日本軍「慰安婦」の問題をめぐって

ナヌムの家

日韓関係と言えば、韓流や日流とともに、この「慰安婦」問題を思い浮かべる人は少なくないかもしれない。実は、私が韓国や朝鮮半島に強い関心を持つようになったきっかけのひとつがこの問題だった。そして、実際に韓国に留学し韓国社会との深い関係を持つようになったのも、この問題を通じてだった。

私は高校生の頃、偶然の機会を得て、「慰安婦」の被害者が自身の体験を話す場に居合わせたことがある。当時の私は韓国語が分からなかったため、通訳を介して「慰安婦」の被害について知ることになった。聞いた内容についてはもちろん、どなたの話を聞いたのかもはっきりした記憶はない。しかし、このときの経験が何かしらの強い印象を私に残したようだ。私が高校卒業後、受験浪人の身でありながら勉強の合間を縫ってわざわざ「慰安婦」をテーマにした映画の上映会を観に出かけていったのも、被害者の声を直接聞いた経験が大きかったのだと思う。

それは「ナヌムの家」（ビョン・ヨンジュ監督、一九九五年、原題は「낮은목소리〈The Murmuring〉」）というドキュメンタリー映画で、「慰安婦」の被害女性たちが共同生活をする施設、「ナヌムの家」の日常と、朝鮮半島出身ながらも中国に残らざるを得なかった被害女性たちを取材し収めたものだった。被害者の女性たちが被害のトラウマに苦しみながらも、多くの支援者たちとの交流や日常の出来事に喜怒哀楽する姿が映し出されている。日本のみならず韓国でも「慰安婦の被害女性」と言えば、ソウルにある日本大使館前のデモや記者会見のような場で日本政府の責任を涙ながらに、しかし激しく追及する姿ばかりがメディアを通じて知られている。しかし、その映画に収められた姿は、そうした一面だけではない、ごく普通のおばあさんたちが暮らす様子でもあった。むしろ、だからこそ、彼女たちが「慰安婦」の被害者であるという事実が、私の胸に突き刺さったのかもしれない。

韓国留学を始めて間もない頃、偶然、私はそのナヌムの家を訪れる機会を得た。映画を通じて知っていたナヌムの家には、一度訪れてみたいという思いがどこかにあった。しかし、やはり「日本人」として気後れしていたところがあり、それまであえてそこを訪問するという行動を起こすことはなかった。

ところが、日韓学生交流ワークショップがナヌムの家で行われるという案内をたまたま見つけ、思い切って問い合わせだけでもしてみようとメールを送ってみたところ、ぜひ参加してくださいと返事が来た。いま考えてみれば、問い合わせたのだから返事をもらって当たり前なのだが、参加しても良いと言われたことで少し気持ちが軽くなり、思い切ってナヌムの家を訪問することにした。そして、いざナヌムの家を訪ねてみると、何ら特別なことはなかった。もちろん歴史問題、しかも「慰安婦」問題という重いテーマを扱う場であるため、ワークショップの内容は気軽なものとは言えなかった。しかし、だからと言って居心地の悪いような思いをさせられるわけでもなく、日韓の参加者やスタッフたちと一緒に、世代や文化の違いを超え、むしろ愉しい時間を過ごすことができた。そこに暮らす被害者たちもまた、私たちを温かく迎えてくれた。

ナヌムの家（2004年撮影）

私はナヌムの家で出会った日本人、韓国人、在日コリアンたちと親しくなり、たくさんのことを感じ、学んだ。「慰安婦」問題に限らず、日本社会や広く日韓関係について議論もしたし、韓国社会についてもさまざまなことを知るきっかけになった。そうした仲間がいたことでいつしかナヌムの家に何度も通うようになり、何人かの被害者たちと親しく言葉を交わせるようにもなった。中には私の名前を覚え、顔を合わせるたびに冗談を言って笑わせてくれる方や、留学生活をする私のことを気遣ってくださる方もいた。

私はしばらく通ううちに、日本からナヌムの家を訪れる人たちの案内や通訳などを手伝うようになった。ナヌムの家はもともとソウル市内にあったが、いまはソウル郊外の京畿道広州市《キョンギドクァンジュ》にあり交通の便は決してよくない。しかし、このナヌムの家には日本からたくさんの人たちが訪れる。映画「ナヌムの家」は韓国よりも日本での反響がより大きかったとも言われるが、その影響もあるだろう。「慰安婦」問題に関心のある日本の人々が数多くそこを訪れてきた。

この問題にずっと関心を持って定期的に訪問し、ボランティア活動をして帰る人たち、ソウル旅行の際にわざわざ足を伸ばして訪れる人たち、スタディーツアーを企画し団体でやってくる人たち、校外学習として学生たちを連れてくる先生、調査のために訪れる研究者、取材のために来るジャーナリストなど、実にさまざまな人たちがこのナヌムの家を訪れていた。この問題を否定的に考えるような保守派の人や、いわゆる「右翼」の活動家が訪れてくることもあった。政治家や芸能人もよく訪れる。

私は、このナヌムの家を通じて実に多くの、そして幅広い層の日本の人たちと出会うことができたように思う。また、そこを訪れるさまざまな立場の人と接するなかで、「慰安婦」問題に関心を持つのは「サヨク」、少しでも疑義を持てば「ウヨク」といったような単純化された陣営論やレッテル貼りを見聞きし経験し、「慰安婦」の被害をめぐる問題がいかに本質からかけ離れた議論の対象になってしまっているかを知ることもできた。

本来、この問題はシンプルなはずだ。日本による植民地支配のもとに起きたその被害は人権問題であり、決して許されるべきことではない。植民地支配を進めた日本が、その責任の追及と補償を求められるのは当然のことだ。もちろん、その責任追及と補償の方法についての議論はさまざまにあり得るだろう。しかし、被害の事実そのものを疑うかのような偏見やまったくの誤解をもとにした主張、植民地支配の責任から目を背けた独り善がりの議論、ましてや被害者の声が蔑ろにされるような事態というのは、すでに問題の本質を外れ、「慰安婦問題」という名のもとにまったく別の問題になってしまっている。

「慰安婦」問題のはじまり

日本軍による「慰安婦」被害の存在が広く知られ世間の注目を浴びるようになったのは、一九九一年に金学順《キムハクスン》という一人の被害女性が、公の場で自身の被害をカミングアウトしたことが大きな契機となった。それまでも「慰安婦」の存在は世の中に知られており、金学順が公に名乗り出る決意をしたのも、日本の国会で「慰安婦」の被害が話題になったことがきっかけであった。しかし、その関与を否定するかのような日本政府の発言が韓国でも報道されたことで、彼女は名乗り出る決心をすることになった。それまで自らがその被害者であることを隠してきた金学順は、「歴史に埋もれさせてはいけない」、「私が証人だ」と名乗り出たのだ。後に続き公に名乗り出た被害者たちは、金学順のこの行動に勇気を得たという。

同年末、歴史学者の吉見義明によって、「慰安婦」に日本軍が関与していたことを裏付ける史料が防衛庁防衛研究所（当時）から発見されると、日本政府はその責任について認めざるを得ないと判断した。一九九二年一月に韓国を訪問した宮澤喜一首相は、当時の盧泰愚大統領などに対し謝罪の言葉を述べている。さらに、一九九二年七月の「加藤談話〈註3〉」、一九九三年八月の「河野談話〈註4〉」を通じて、日本政府はその被害について軍の関与を認め「お詫びと反省」を早々に発表することとなった。「河野談話」は後に、それを否定しようとした安倍政権のもとで再検証されることとなったものの、結果的にそれを覆すことはできなかった。つまり、歴史修正主義者と言われる安倍晋三のもとですらその被害事実とそれへの日本政府の関与は否定できなかったのだ。少しでもまともにこの問題について調べたことがあれば分かるはずだが、「慰安婦」被害の事実は、「日本軍の関与」について否定しがたい根拠があったとするのが、今となっては揺るぎないファクトなのである。そのことは金学順の証言以降、積み重ねられてきた研究によってもすでに立証されている。

一方、一九九〇年代は、韓国社会はもとより日本社会でも、戦争責任や戦時性暴力の問題としてこの「慰安婦」問題への関心が高まり、市民社会を中心に真相究明と問題解決のための努力が活発に行われた。一九九四年に誕生した自社さ連立内閣の日本政府もまた、その過酷だったであろう「慰安婦」被害への認識を持ち、高齢になった被害者たちへの早急な支援が必要との考えを持った。それが一九九五年、いわゆる「国民基金」（正式には「女性のためのアジア女性国民基金」）として具体化され、韓国だけでなくアジア各地に広がる日本軍「慰安婦」の被害者たちに対し、首相の手紙とあわせ「償い金」を支給するという事業が進められた。しかし、国民基金は日本政府の支援のもとに設立されたという事実はあるものの、あくまで民間の組織であり、当初はそれが強調されたことで、「政府の責任逃れ」であると激しい批判に晒された。

一般的に、問題の構図があまりに単純化され充分に知られていない側面があるのも事実だが、国民基金があくまで民間組織の活動であり、日本国として、つまり政府が公式に謝罪と補償を意図して行った事業ではなかったのもまた事実だ。そのため、あくまでも解決済みという立場を取る日本政府が、「責任を曖昧にするため」に行った事業であったと見なされたのだ。特にこの「償い金」を多くの被害者が拒否した韓国との関係においては、国民基金によって、問題の解決どころか事態はますます複雑化してしまったことが残念である。

国民基金を否定された日本の一部からは、「では、一体どうすればよいのか」などといった苛立ちの声が上がった。また、何よりも不幸だったのは、被害者や問題の解決を望む支援者たちの間で、基金を支持する人々とそれに反対する人々との対立が起きてしまったことではなかっただろうか。基金をめぐって「日本はやることはやった」と胸を張る人もいるが、残念ながら、少なくとも韓国に限って言えば、結果的にその事業は失敗だったと言わざるを得ない。

ところで、「慰安婦」問題が日韓間の外交懸案として再び大きく注目されるようになったのはそれほど昔の話ではない。ひとつの転換点を迎えたのは二〇一一年だった。実はそれまで、「慰安婦」問題を「法的に解決済み」とする日本政府の一貫した姿勢に対し、韓国政府が公式に異議を唱えることはなかった。韓国政府は日本の法的責任を認知しつつも具体的な外交交渉を行わない立場をとってきたのだ。それに対し、韓国の憲法裁判所〈註5〉が二〇一一年八月三〇日、「解決の努力を忠実に履行しない大韓民国政府が基本権を侵害している」とする違憲の判断を下したのだ。二〇〇六年に「慰安婦」の被害者らが当時の外交通商部（日本でいう外務省）を相手に起こした憲法訴願（憲法判断を求める手続き）の結果だ。

当時の外交通商部は、被害者支援団体である「大邱《テグ》・挺身隊ハルモニとともにする市民の会」の質疑書に対し、「日本軍『慰安婦』問題に関する日本政府の法的責任は残っているが、消耗的な法的論争を防止するために外交協商を行わない」と書面による回答を行っていた。二〇〇六年と言えば、日本との歴史問題に厳しかった盧武鉉大統領の進歩政権の頃だ。その後、「被害者中心主義」を唱えた同じ進歩派の文在寅《ムンジェイン》政権においても、やはり日本政府との間で直接、被害者たちへの補償を求めるような態度は取らなかった。それこそが、つまり「六五年体制」の枠組みであり、韓国政府の立場もまたその枠組みの範囲内にあったと言える。

六五年体制とは

六五年体制とは、一九六五年に日韓が国交正常化を果たした際に結ばれた関係性のもとに形成された東アジアの国際秩序である。日韓は国交正常化のために一九五一年から交渉を始め、紆余曲折を経た末の一九六五年に日韓基本条約（正式には、「日本国と大韓民国との間の基本関係に関する条約」）を締結することで国と国の関係を正式に結ぶこととなった。そこに至るまでに一四年という歳月が費やされたのは、植民地支配の責任をめぐる日韓両政府の認識が真っ向から対立していたことが最も大きい。韓国政府は当初より、植民地支配は違法でありそもそも無効であったという立場から、日本政府にその賠償を求めた。一方、日本政府は、植民地支配の責任を認めることはなく、韓国に対し賠償をする必要はないとの立場であった。

韓国の初代大統領、李承晩は日本に対し一切の妥協を許さない強硬な態度を見せるも、有効な交渉カードを持たなかったことで日本との交渉を進展させることはできなかった。ところが、李承晩大統領が失脚し、軍事クーデターを経て朴正煕が大統領になったことで、日韓間の交渉は進展する。朴正煕大統領は植民地支配による被害の清算よりも経済発展を優先した。そのために日本と早期に国交正常化を果たすことを選んだのである。

日韓基本条約は、植民地支配の解釈を棚上げした形で締結された。条約は、日本による韓国併合（一九一〇年）について、第二条で「already null and void（もはや無効）」としている。これを、日本側は「日本の敗戦、サンフランシスコ講和条約締結にともない効力を失った」と解釈し、韓国側は「（一九一〇年の時点から）そもそも無効であったことが確認された」と解釈する。つまり、植民地支配は国際法上合法的な行為だったと考える日本と、国際法上においてもあってはならない違法行為であったと考える韓国との間に見解の相違が存在するも、どちらの解釈も成り立つような曖昧さを残したのである。これが六五年体制の前提となった。

韓国において一般には、植民地の過去について日本が公式、つまり法的に責任を認めることは当然のことと認識されている。その一方で日本政府は、植民地支配の責任についてすべて解決済みという頑なな立場を一貫して崩していない。「慰安婦」の問題について、二〇一五年末の日韓「合意」でもその基本的な立場に変わりのないことは日本政府が明言している。

朴槿恵大統領は二〇一三年の就任直後から「慰安婦」問題の早期解決を重視し、日本側が何らかの前向きな態度を見せない限り一切の対話をしないという強硬姿勢を見せた。その結果、三年半にもわたって日韓首脳会談が開かれないという異常な事態が生じていた。しかし、二〇一五年一一月に安倍晋三首相・朴槿恵大統領の間で初の会談が行われた後、一二月二八日、日韓外相による「合意」の発表が電撃的に行われた。日韓国交正常化五〇周年の一年があと数日で終わろうとしていた時のことだった。

しかし、その「12・28合意」の直後すでに、当時の岸田文雄外務大臣はメディアのインタビューに、「歴代内閣の立場を踏まえたものだ。今回の日本政府の立場の表明によっても、日韓間の財産・請求権に関する法的立場は何ら変わりない」と、「法的責任」を事実上否定している。にもかかわらず、一方の韓国政府は、12・28合意をもって日本政府が「慰安婦」問題に対する責任を認めたものと解釈している。韓国外交部のホームページには12・28合意について、「日本軍の関与と日本政府の責任が明確化」されたものであり「『道義的』の表現など修飾語のない『日本政府の責任』」が「史上初めて表明」されたものである、と評価している。こうした日韓間の決定的な認識の隔たりを含んだ「解決」の構造は、植民地支配の歴史に対し異なった解釈を行うことで国交正常化を図った一九六五年の日韓基本条約と同じ構図、つまり六五年体制の枠組みによるものであると言えよう。

一九六五年、日韓基本条約の条文をめぐって両政府が異なった解釈をせざるを得ない状況であったにもかかわらず、世界的な米ソ冷戦構造のなか、反共自由主義陣営の結束と韓国の経済発展が優先され、日本による植民地支配の責任を追及することのないままに妥結、日韓間の国交正常化が急がれた。一〇〇%の勝ち負けはなく、むしろそれを求めてはいけないとも言われる外交の妙であり、当時の両国政府の知恵だったという評価は一面において妥当であろう。当時、日韓間に国交が正常化したからこそいまの日韓関係があるというのは否定できない現実だ。

しかしその一方で犠牲にされたものも少なくなかった。最も大きかったのは、日本による植民地支配の責任を総括する機会が損なわれたことだ。そのため当時も、日韓双方でこの国交正常化に強く反対する市民らの声が上がった。当時の韓国は独裁的な政権のもとにあったこともあり、そうしたなかで結ばれた日韓基本条約は無効だといった主張も一部では未だになされている。ただ、当時の米ソ冷戦対立の国際情勢にあって、植民地支配の責任を清算した形でなければ国交正常化はあり得ないという姿勢を維持していたならば、日韓関係がどう築けたのだろうかという現実的な問題もある。だからこそ、当時棚上げにされた植民地支配の責任について、いま見直すことが必要になっていると言うこともできよう。

そして、当時見逃された問題のひとつに「慰安婦」問題があった。そもそも、いま以上に家父長制的な価値観の強かった韓国社会において、また植民地責任の問題が曖昧にされようとしていた当時において、「慰安婦」の被害者たちが自らの被害を公に訴える機会は現実的に困難であった。第三者がその被害に気付き動き出すまで、被害者本人はその「不幸」を自らも一個人の問題であると思い込み、社会的に沈黙を強いられていた側面もある。一九九一年に金学順が公の場に訴え出てからも、韓国社会が被害者たちを必ずしも温かく受け入れたわけではなかった。被害者の中には自らの被害を公にしたことで家族と疎遠になってしまったり離婚など絶縁を余儀なくされるなどのケースもあったという。

日本では、そうしたリスクを犯してまで名乗り出た被害者たちのことをカネ欲しさの行動だと貶めたり、その存在すらなかったことにしようとする人たちまでいる。「軍隊には慰安婦が必要」などといった発言が人気政治家の口から飛び出し、それが許されるような社会は、被害者たちのそうした心の葛藤や苦難に対する想像力が決定的に欠如していると言わざるを得ない。被害者がなぜ沈黙を強いられ、声を上げた被害者がセカンドレイプ（二次被害）にさらされなければならないのか——こうした議論は、性暴力被害をめぐる現代社会の問題にも重なる。

一九六五年の日韓基本条約においてきちんと取り上げられることのなかった「慰安婦」をめぐる問題は、だからこそ、いま注目に値する。韓国社会の一部で言われるような日韓基本条約の破棄というのはあり得ないとしても、それを絶対のものとするのではなく、よりよい日韓関係のために、これまでの歩みを見直し、当時としては棚上げにせざるを得なかった事案について再検討が図られてもよいのではないだろうか。

その意味で、二〇一一年八月の韓国憲法裁判所によって下された判断は画期的なものとなり得る。憲法裁は、「慰安婦」問題の解決を日本政府に対し求める努力をしてこなかった韓国政府が「基本権を侵害している」とし、その「不作為」を違憲とした。一九六五年の日韓国交正常化によって解決済みとする日本政府の立場を事実上、黙認してきたとも言える韓国政府の態度を不当として糾弾したのだ。

なぜ今になってというのが日本政府の立場かもしれないが、その背景には、韓国社会における民主主義の発展や人権意識の広がり、さらには二〇〇五年以降に公開された外交文書に基づく学術研究の進展によって、「慰安婦」問題を含む植民地支配責任にかかわる議論が充分でなかった点が明らかになってきたことなどがあったと見られている。また、人権救済のために植民地支配の問題を積極的に取り上げようという国際社会における気運の高まりも大きな要因である。

立憲主義に立つ韓国において、ましてや人権にかかわる問題である以上、保守・進歩の立場に関係なく、韓国政府もそうした司法判断をないがしろにすることはできなくなった。憲法裁による判断のあった同年一二月には李明博大統領が日本に対しこの問題の解決を求め、当時、日本の野田佳彦首相は「知恵を絞ろう」と応じた。ところが、独島／竹島の問題や日本の政権交代といった政治状況のなか、二〇一二年以降、日本政府内には解決策を探ろうという雰囲気がすっかり後退し、二〇一四年に至っては「慰安婦」被害の史実すら否定しかねない異様な議論が巻き起こることになった。

「少女像」が象徴するもの

二〇一一年、ソウルにある日本大使館前の路上に挺身隊問題対策協議会（挺対協）[注6]をはじめとする市民団体の手によって「平和の碑」が建てられた。広く「少女像」として知られているが、「慰安婦」問題の解決を求めて続いてきた「水曜集会」が一〇〇〇回を迎えるのを記念したものであった。

この水曜集会は、「慰安婦」の被害者とその支援者たちによって、一九九二年より在韓日本大使館の前で毎週水曜日に開かれてきた。当初は被害者も支援者も、この集会をここまで続けなければならなくなるとは思ってもみなかったという。日本で阪神・淡路大震災が起きた一九九五年と東日本大震災のあった二〇一一年にそれぞれ一回ずつ、追悼の意味を込めて公式行事を中止にした以外、約三〇年にわたり、雨の日も雪の日も毎週休まずに続けられてきた集会だ。コロナ禍のなかでもオンライン形式を活用し続けられた。

近年では、何百回といった節目や八月一五日の光復節、3・1節といった植民地に由来する記念日の前後など、あるいは日本などから特別な参加者が顔を見せる際にしかメディアの目は向かず、少ないときなどは被害者と支援者が数名ずつだけ集まって開かれるようなこともあった。そもそも毎週の集会に日本大使館など日本政府関係者が直接の対応をすることはない。被害者たちはそうしたなか、高齢の身体に鞭打って集会に足を運んでいた。その水曜集会が約二〇年をかけとうとう一〇〇〇回を迎えるのに際し、挺対協など支援者らが中心となって、「この事実を後世に残したい」という被害者らの思いを形にしたのが、その「平和の碑」だった。

この像は、被害にあった女性たちの象徴として少女を象《かたど》ったことで「少女像」と呼ばれるようになったが、像の足元には本来の名称として「平和の碑」と刻まれている。名称とともにそこには韓国語・英語・日本語で、「一九九二年一月八日、日本軍『慰安婦』問題解決のための水曜デモが、ここ日本大使館前ではじまった。二〇一一年一二月一四日、一〇〇〇回を迎えるにあたり、その崇高な精神と歴史を引き継ぐため、ここに平和の碑を建立する」との説明も刻まれている。

ただ、この像の設置に日本政府は強く反発し、像の設置直後に行われた日韓首脳会談において、日本の野田首相は像の撤去を申し入れた。これに対し韓国の李明博大統領は、「日本政府がもう少し関心を示してくれていれば、(像の設置は)起きなかった。誠意ある措置がなければ、第二、第三の像が建つ」と応じた。その言葉どおり、その後、「平和の碑」設置の動きは国内外に広がり、二〇一七年までに、同様の像が韓国内に八〇カ所、二〇二二年にはさらに増えて一四五カ所に、海外では米国各地をはじめ、ドイツ、カナダなど数十カ所に「平和の碑」が設置されている。

日本政府や一部の日本人はこれらの動きに反発し、活発なロビー活動や裁判などを行ってきた。米国のサンフランシスコ市に対しては、姉妹都市であった大阪市がその関係を解消する決定をして抗議の意思を明らかにした。二〇一六年に韓国第二の都市、釜山《プサン》にある日本総領事館の裏道に像が建てられた際には、日本政府が駐韓大使と釜山総領事の二人を一時帰国させるという事態にまで発展し、結局、その像は釜山市によって撤去されることになった。フィリピンのマニラに設置された像も日本政府の抗議があり、フィリピン政府によって撤去された。

最初の像が在韓日本大使館前に設置された当時から、日本のメディアもこれを批判的に報じている。日本政府の姿勢に読売新聞の社説（二〇一一年一二月一九日）は「安易な妥協は禁物だ」と注文を付け、朝日新聞は「天声人語」（二〇一一年一二月一九日）で、「未来志向の日韓関係に銅像ひとつが水を差す」、「反日と嫌韓の連鎖はそろそろ断ち切りたい」などと批判した。像の設置が相次いだことに対しては、それまで韓国社会に理解を示していた日本の知識人からも強い反感の声が上がったが、それらの批判的な主張のどれもが、「慰安婦」問題を日韓間の外交摩擦としてのみ捉えている。日本の世論はそうした視点から、「平和の碑」を「反日」の象徴と見做し、その拡散を「反日」包囲網であるかのように警戒した。「あいちトリエンナーレ２０１９」の「表現の不自由展・その後」にその像が展示された際、脅迫により展示が中止に追い込まれたり、名古屋市長が「日本人の心を踏みにじるもの」などと批判したりしたのも、それを「反日」の象徴と捉えたからのことであろう。

一方、日本のメディアでは大きく取り上げられることがほとんどなかったが、「平和の碑」が設置されたのと同じ日、韓国、日本を含む世界各地で「慰安婦」問題の解決を求める動きがあった。日本国内では、約一三〇〇人が参加した「人間の鎖」が、霞ヶ関にある外務省を取り囲んだほか、大阪や北海道、名古屋、福岡などでも問題の解決を求める集会が行われた。また、米国やドイツ、台湾など、世界の三〇都市以上ではこの問題の解決を訴える集会が開かれた。国連人権委員会が「クマラスワミ報告書」〈註7〉や「マクドゥーガル報告書」〈註8〉においてその被害の実態について「性奴隷（sexual slavery）」と表現しているように、国際社会はこの問題を戦時下における性暴力の問題と捉えている。日本語の感覚からは強烈であり抵抗を感じるかもしれないが、国際社会の認識としてそれが常識になっていることは否定できない。

二〇〇七年に安倍首相が「慰安婦」の被害を矮小化するような歴史認識を示したことで米国政府に対し弁明、「謝罪」した件〈註9〉も、この「慰安婦」問題について日本に謝罪を求める決議案（米国下院一二一号決議）が米国議会で可決されるひとつのきっかけになった。「慰安婦」問題が日韓の外交懸案であることよりも、人権問題であるという認識が働いたがゆえのことだろう。また、米国に続きオランダやカナダ、欧州議会なども同様の決議案を可決し、「二〇世紀最大の人身売買の一つ」と非難の声が挙がるなど、国際社会がこの「慰安婦」問題をめぐる日本の認識や対応を問題視したのだった。しかし残念ながら、そうした国際社会の動きが日本社会では充分に認知されていない。

「平和の碑」を日韓関係に「水を差す」ものなどと非難したメディアや日本の世論は、水曜集会のことを「反日」デモと規定し、老いた身体にむち打って水曜集会に参加し「この事実を後世に残したい」という思いを像に託したという被害者たちの声に耳を傾けることはなかった。また、そうした被害者の声に耳を傾ける韓国社会の姿についても日本社会には正確に伝えられていない。もちろん、その外交的な影響を考えれば、像をあの場所に建てることが最善の方法だったのかという議論は、市民運動の方法論として当然あり得るだろうし、日韓それぞれの社会では異なった市民運動の方法や感覚があるのも確かだ。ただ、そうした議論はすでに像の設置以前から、市民運動をふくむ韓国社会の一部で議論になってきたことでもある。

しかし、日本政府ばかりか韓国政府からも充分な支援を得られず路上で約三〇年も続けられてきた集会の持つ意味と、そこには、韓国の人々だけでなく多くの日本人も参加し共感してきたことを考えれば、「平和の碑」が日韓関係を阻害するものであるといった批判が見当違いだということは理解できるはずだ。日韓両政府が何ら有効な策を講じられずにきた状況のなかで、被害者はもちろん、被害者たちを長く支援してきた人々など、広い意味での当事者たちによる訴えの声に耳を傾けることもなく、この問題がその本質からかけ離れた「反日と嫌韓の連鎖」に取り込まれ解釈されているのは残念なことだ。

「平和の碑」は本来、「反日」を煽るために建てられたものではなかった。もちろん、「平和の碑」

をもって日本批判の安易な手段にしている人がまったくいないとは思わない。また、この像の「少女」のイメージがあたかも「慰安婦」被害の唯一の象徴となってしまっていることにも危うさを感じる。ただ、被害者を「純真無垢な少女」に象徴させることは、これまでも支援者や研究者たちの間で問題提起がなされ議論も繰り返されてきた。強制連行や強制性の定義をめぐっては様々な見解があり、それからも分かるように、「慰安婦」の被害実態は決してひとつの類型に集約されるわけではないからだ。

しかし、ひとつのイメージに当てはまらない事例があるからといって、当然ながらその史実がすべて否定されるわけでもなければ、「河野談話」を通じて日本政府すら認めてきた日本軍の関与が覆るわけでも免責されるわけでもない。「少女像」はさまざまな議論のなかであえて象徴化されたものであり、それをもって被害の実態が歪められるなどという次元のものでもない。それよりも、この像を通して多くの人が共有する、疎外され続けてきた被害者たちの声に耳を傾けるという象徴性にこそ意味があると見るべきだろう。

「平和の碑」をめぐる批判の声がメディアを通じて主張されるたびに、これまでこの問題が多くの人たちにどれほど疎外されてきたのかを改めて感じざるを得ない。何よりも私たちには、路上での抗議集会がなぜ二〇年、三〇年と続かざるを得ないのか、その象徴として像が建てられるしかなかった理由は何なのかということを真摯に考えることこそが求められているのではないだろうか。

問題の「解決」とは何か？

すでに解決済みとの立場を貫いてきた日本政府と、その認識自体を否定する主張は平行線のままである。「日本政府の法的責任」にこだわる立場は、かつての大日本帝国による植民地支配の責任を追及するものだ。つまり、かつての帝国主義諸国による世界的な植民地主義の拡大に対し、究極の問題提起をしているとも言える。その意味で、いまの日韓関係における外交交渉が充分な解決策を導き出せるかと言えば、やはり限界があるだろう。

「慰安婦」問題が社会一般に語られるとき、特にメディアを通して伝えられる際には、日韓の外交摩擦としての側面が強調される。そして、「軍国主義の日本」、「反日の韓国」といったステレオタイプが日韓対立の構図をますます強化する。その一方で、日韓関係に携わる関係者にとって、最大の外交懸案に発展してしまった「慰安婦」問題をどうにかしなければと考えるのは当然のことだ。

しかし私は、日本軍「慰安婦」の問題を考えるとき、国家間の関係にばかり気を取られていては、問題の本質に近づくことはおろか、その「解決」に向けた道はますます遠のいてしまうのではないかと思っている。「慰安婦」の被害は、その当時の状況から日本軍の関与が否定できないと日本政府も認めてきたところであり、被害者や支援者らによる批判の矛先は当然ながら日本政府になる。ただし、それを一括りに「反日」と捉える視点は、問題の本質を見誤らせてしまう。同時に、「過去の過ちを反省しない日本を屈服させる」ことが目的になっているかのような主張もまた、「慰安婦」をめぐる問題に真の解決を見出すことはやはり難しい。この問題をめぐる議論は、すでに植民地支配責任の問題や戦時性暴力の問題という、日韓関係だけに収まらない、より大きな課題として存在するに至っているからだ。

国際社会で言われている「慰安婦」問題の本質は、普遍的人権の問題である。しかし同時に、この問題をめぐる立場や視点は極めて多様化している。にもかかわらず、メディアで語られるこの問題は、日韓間の外交懸案としてのみ捉えられている。しかし、二〇一五年の日韓合意のような外交的「解決」のみをもってすべてが解決し得ると考えるのがそもそも安易に過ぎるのだ。外交上の合意によってたとえ一時的にそれが可能であったとしても、再びこの問題が外交摩擦の火種になる可能性は残ってしまう。現に、二〇一五年の合意をめぐっては日韓それぞれの社会において未だに賛否の議論が繰り返されている。外交上の合意はあくまで国家間の約束において意味を成すに過ぎず、「慰安婦」問題を日本社会がどう「解決」していくかという問題は依然として残っている。また、先の政府間合意が被害者不在であった以上、日本という国家が被害者たちにどう向き合うかという問題も議論されなければならない。

日本軍「慰安婦」の被害者たちを支援する市民団体、正義連（当初は挺対協）が二〇一二年から行っている事業に「ナビ基金」というものがある。「ナビ（나비）」とは蝶のことであり、ナビ基金のシンボルは未来に向かってひらひらと飛ぶ黄色い蝶だ。「慰安婦」の被害者である金福童《キムボクトン》と吉元玉《キルウォノク》が、いつの日か日本政府から勝ち取る賠償金を寄付するとして発足したこの基金は、日韓や他国の市民からの寄付金を戦時性暴力被害者などの支援に使っている。これまでにコンゴ内戦の被害者や、ベトナム戦争での韓国軍による被害者支援などを行ってきた。「慰安婦」問題が国際社会からも注目を集める理由に、日韓間の問題であるだけでなく全世界的にあった、そしていまなおなくならない戦時性暴力や女性差別、あるいは民族差別や人種差別の問題として認識されているからである。

「慰安婦」の被害者たちにどう向き合うのかということは、単に韓国との外交的な懸案を片付けるといった次元とは異なるものだ。いま、日本社会が植民地支配という過去はもちろん、現代社会における戦時性暴力や女性差別の問題にどう向き合うのかが問われている。戦時暴力の問題と言えば、韓国社会にもベトナム戦争における韓国軍の行為をいかに清算するのかという課題が存在している（本章一六八頁参照）。「慰安婦問題の解決」と言ったとき、外交摩擦をいかに終わらせるかということばかりに関心が注がれがちだが、この問題を通じて、女性の人権問題を社会的にいかに改善していくのかといった視点が、日本においても韓国においてももっと議論されるべきだろう。決して容易なことではないが、それこそが「慰安婦」問題をめぐって目指すべき「解決」であり、日韓がともに目指すことのできる「解決」の可能性ではないだろうか。

六五年体制をめぐる葛藤

進歩・保守政権の対日政策

二〇〇八年の李明博大統領、二〇一三年の朴槿恵大統領と、それぞれ保守政権が韓国に誕生したとき、日本政府には韓国の対日姿勢をめぐって大きな期待感があった。特に李明博政権の前は過去事清算に積極的な盧武鉉政権だったことも背景にあった。しかし、蓋を開けてみれば、李明博・朴槿恵と続いた保守政権が日本に対して甘い顔をしたかと言えば必ずしもそうではなかった。

当初から「未来志向」を宣言し歴史問題になるべく触れずにきた李明博大統領が、二〇一一年に入るとこの問題に積極的な姿勢を見せるようになった。「慰安婦」問題への対応だけでなく、突然の「独島（竹島）訪問」や「日王（天皇）謝罪要求」といった大統領の言動は日本社会の強い怒りを買った。朴槿恵政権に至っても、「慰安婦」問題をめぐる対日姿勢はそれまでの政権のなかで最も強硬だったと言えるだろう。保守派は日本に対して寛容だと安心していた人たちにとって、これは驚きの出来事になったのかもしれない。なかには、裏切られたような気持ちになった人もいたのではないか。

それでも日本では、右派保守政権は日本に対して寛容であり、左派進歩政権は厳しいという構図が未だに広く信じられているようだ。李明博政権の対日姿勢については、政権末期のレイムダックを挽回しようとしたものであったと分析し、朴槿恵政権については、日本軍の出身で「親日派」との批判を受けることもある朴正熙大統領の娘であることから、批判をかわす意味で敢えて対日強硬姿勢を取ったという解釈がなされた。もちろん、任期五年で再選のない大統領制をとる韓国では、任期が終わる頃になると次期政権を見据え影響力を失っていくレイムダックが進むことはよく言われている。朴槿恵政権が「親日派」批判を意識し日本に甘い顔ばかりできない立場にあったということも間違ってはいないだろう。

しかし、それだけですべてを説明するというのは韓国の政治をあまりにも狭い視野で捉えた見方である。少し考えてみれば当たり前のことだが、韓国のすべてが日本だけを意識して動いているわけではない。韓国における保守・進歩の対立構造は対日姿勢によって決まるわけでもない。

左派進歩政権の文在寅大統領を「反日」と断じたフレームも同様に短絡的だ。そもそも私は、文在寅政権をそれほど進歩的だとは思っていなかった。李明博・朴槿恵政権は、主要政党のうち最も右派と言えるハンナラ党、セヌリ党が与党として支えたのに対し、文在寅政権を批判する正義党のような左派進歩勢力が別に存在することから考えれば、中道左派とするくらいがちょうどよい。いずれにしても、文在寅政権が「慰安婦」問題や「徴用工」問題をめぐって日本側に同調しなかったのは「反日」であるからではない。文在寅大統領の立場は、自らも再三言及していたように「被害者中心主義」という考え方に基づき、あくまでも被害者を尊重し、解決策は被害者が納得のいく形でなければならないという、人権の観点から常識的なものであった。

しかし、日本ではそうした文在寅政権の立場よりも、政府間で結ばれた約束が何よりも優先されなければならないという見方が支持された。日本政府が朴槿恵政権との間で発表した二〇一五年の12・28合意について、その見直しを主張した文在寅大統領は信用ならない指導者と見做されたのだ。「文在寅という災厄」などという誹謗中傷が活字になるほど、日本におけるその偏見は異常だった。

「反日」というレッテル貼りとともに、対北朝鮮関係において対話を重視する姿勢が「親北」、「従北」と批判されることもしばしばであった。「親北」は北朝鮮に近いということであり、「従北」とは「北朝鮮に従う、言いなりである」といった、韓国の保守勢力が左派の人間を貶めるときによく使われる表現である。文在寅大統領を、北朝鮮、つまり共産主義者と見做し貶める、韓国政治における究極の罵倒でもあった。こうした政治的偏重の強い用語が日本のメディアに踊るということからも、その情報源の偏りが分かる。

もちろん、韓国においても文在寅政権の対応を批判する人は少なくなかった。日韓関係をめぐって文在寅政権を批判した人たちは、それぞれの政治的立場に関係なく、日本政府や日本のメディアの多くが主張するように、国家間の約束を破るようなことがあってはいけないという立場であった。日本との関係をあまりに軽視しすぎているといった批判もよく聞かれた。対北政策と比べた場合に対日政策の優先順位が下がってしまったということは確かに否定できない。ただそこには、いまの日韓関係がかつてとは構造的に大きく変化してきたことが関係している。

「合意」以降の被害者中心主義

先にも述べたように、韓国社会において日本の存在は植民地時代の歴史はもちろん、文化の面においても常に比較の対象であり、上の世代になればなるほど日本は学ぶべき存在として強く認識されていた。特にアジアの隣国として日本に追いつけ追い越せと経済発展を進めてきた関係などから、垂直的な関係性であったと言える。しかし近年、韓国は大きく経済発展すると同時に日本の経済的な停滞もあいまって、日韓関係はかつてに比べ対等な水平的関係へと変わってきた。それが、過去の関係性に慣れきっている日本の人たち、あるいはそれを受け入れてきた一部の韓国の人たちにとっても、韓国が日本を軽視するようになったと捉えられた。

しかし、韓国における多くの人々、特に若い世代はすでに、かつてとは変化した日韓関係のなかにいる。国家間の約束がどうであれ、人権に反した行為であればそれは正されなければならない、被害者は必ず救済されなければならない、という考え方が広まっている。対日関係を軽視するわけではないが、人権に勝るものがあるはずはないというのが、「慰安婦」問題の解決を求める立場の認識ではないだろうか。

文在寅政権が、朴槿恵政権時代の日韓合意（二〇一五年）を骨抜きにしてしまったことについて、前政権の実績を否定することで存在価値を示す政治的なパフォーマンスであったかのように批判する向きもあったが、それは必ずしも正確な解釈ではないと私は考える。二〇一五年の12・28合意は、内容はもちろん、そのプロセスにおいても被害者の存在をないがしろにしたものであった。もちろん日韓間の友好は重要だ。しかし、そのために被害者が譲歩を強いられるようなことがあってはならない。そう考える人々が多かったために、韓国社会における12・28合意批判の矛先は日本政府よりもむしろ自国政府へと向き、その世論を汲んだ対応を見せたのが文在寅政権だった。

被害者中心主義の立場は、被害者が納得することが何よりも重要だということだが、よく考えてみれば至極当然のことだ。何らかの事件事故があれば、私たちは被害者のことを思い、被害者の気持ちを慮《おもんぱか》り、被害者が納得する問題の終結を願う。「慰安婦」問題についても同様に考えることはできないのだろうか。近年では、国際社会にも被害者中心主義の潮流が生まれつつある。

もちろん、未だに主流の考え方とは言えないのかもしれないが、世界的にみて植民地支配の蛮行を被害者の立場から裁くことを求める声が大きくなってきているのは間違いない。主流ではないからと言って、それを退けるのは責任回避の態度でしかないだろう。

ただ、文在寅大統領も被害者中心主義をどのような形で実現させるべきか、具体的なアイディアを持ち合わせてはいなかったようだ。やはり、一国の大統領という立場で対日外交を大局から考えたときに、日本政府が「解決済み」とする六五年体制の枠組みを無視することはできなかったということだろう。二〇一七年の大統領就任直後にタスクフォースを構成し12・28合意を検証した際には、そのプロセスが問題であったとしつつも「破棄」を日本政府に突き付けることはなく、合意は日韓両政府の正式なものであるとの立場で一貫していた。文在寅大統領は、候補として選挙戦に臨んでいたときから「見直し」とは言っても「破棄」を積極的に主張しなかった。二〇二一年の新年記者会見では、「慰安婦」の被害者らが起こした訴訟でソウル中央地裁が日本政府への賠償命令を判決したことについて、「正直、困惑している」とまで語っていた。

「慰安婦」問題とともに日韓間の懸案である「徴用工」問題においても同様である。韓国の司法は二〇一八年、これまで救済されてこなかった被害者への日本企業に対する賠償責任を認めた。日本政府ばかりか韓国政府も、「徴用工」問題は一九六五年の日韓基本条約によって「解決済み」であるとの立場をとってきたが、それを覆す判決が下されたのだ。これに対し日本政府は、韓国政府による司法への介入を求めるかのような主張をしてきた。韓国では、弾劾された朴槿恵政権が「徴用工」問題をめぐる司法の判断に介入したとされ、いわゆる「司法壟断《ろうだん》事件」として、その裁判が国民の厳しい視線に晒された。そうでなくとも三権分立の原則を侵すなどということはできるはずもないが、個人と民間企業の間で起こされた「徴用工」裁判において韓国政府が対処し得る余地はそもそも相当に限られていたと言えよう。

二〇一五年の12・28合意はある意味で、これまで日韓間の対立としてばかり見られてきた問題を韓国内の葛藤へと転換させることになった。韓国社会では、合意以降、被害者の存在を軽視した韓国政府の対応を批判する声が高まった。特に若い世代にそれは顕著で、この問題を通して性暴力被害や戦争被害の問題などに目を向ける動きが広がった。日本で報道される「反日」というイメージからはほど遠い、韓国社会のいち側面である。

日本軍「慰安婦」の問題は、一九九〇年代に社会的な注目を集めたときからすでに、その支援者や専門家の間では女性の人権問題であるという認識が強かったが、二〇一一年に韓国の憲法裁判所が重大な指摘（本章一三六頁参照）をして以降は、韓国社会全般にもそうした認識が広がっていったように思う。二〇一三年に就任した朴槿恵大統領も、少なくとも被害者側に正当性があると考えたために当初からあれほどの強硬姿勢を見せたのではないだろうか。結果的に韓国社会では、二〇一五年の合意をきっかけとして、これまで日韓対立の構図でのみ捉えられがちであった「慰安婦」問題について、より問題の本質に目が向くようになったと感じる。怪我の功名とも言える状況だが、日本ではどうだろうか。

日本では、戦争責任をめぐる議論が活発に行われた一九九〇年代後半、七つの出版社から出され

れ検定に合格した中学校歴史教科書のすべてに「慰安婦」被害についての記述が掲載されたが、二〇〇四年度の検定以降、全国の中学校で使用される教科書のすべてにおいて「慰安婦」の記述がなくなった。

その背景には、先にも言及した「つくる会」などの歴史修正主義団体による活動があった。「つくる会」の出した扶桑社の教科書が全国で実際に採択されたのは〇・〇四パーセント（二〇〇一年）、〇・四パーセント（二〇〇五年）と低調だったが、歴史修正主義が反映された教科書の記述内容が他の出版社に大きな影響を与えたと言われている。それを私たち日本社会は結果的に放置してきた。その後、二〇一六年度から使用されている検定教科書のうち一社の教科書だけが「慰安婦」を扱っているが、これを否定的に見る人たちもいる。いまの日本では、史実を教えるだけのことがなぜそれほど困難になってしまったのだろうか。

もはや日韓対立の問題ではない

いま韓国では大学生を中心に、ナビ基金にちなんだ「平和ナビ」という活動がなされており、

「慰安婦」問題に関心を持った学生たちが大学のクラブやサークルとして自発的に活動を行っている。自発的な活動であるがゆえに、大学によってはごくごく少数の学生による個人的な活動に留まっているケースもあるようだが、全国各地の大学生が参加し、各大学に支部を置く形で「平和ナビ・ネットワーク」が組織されている。活動の内容はさまざまで、正義連の運営する「戦争と女性の人権博物館」を訪問したり、水曜集会への参加や、関連ドキュメンタリー映画の上映会を企画したり、討論会や勉強会を開くなどしているようだ。独自の支援金を集めるなどして活動し、「慰安婦」問題だけでなく、セウォル号の事件（第Ⅲ章一八九頁参照）や、光州民主化運動をめぐる問題など、社会問題に積極的に関わろうとしている。

国家や社会が目を逸らし続けてきた「慰安婦」問題を人権の観点から掘り起こしてきたのは、日韓の、そしてかつて日本による侵略戦争の被害を受けたアジア地域の市民たちであり、また、女性差別や戦時性暴力の問題に取り組む女性たちであった。その活動が韓国社会では少しずつ社会に浸透しているのを感じる。こうしたさまざまな動きが、「反日の韓国」という色眼鏡ゆえに日本ではあまり報道されていないのが残念だ。

この問題を何とかしたいと願っているのは、当事者である被害者はもちろん、日韓の市民も同じであると信じたい。しかしいま必要なのは、拙速な解決でもなければ安易な妥協でもない。高齢の被害者らを考えれば妥協してでも何かしらの「解決」が必要だという考え方もあろう。しかし、中途半端に取り繕うかのような「解決」は、長年の沈黙を破って世の中に自らの被害を訴え、さらに約三〇年にもわたってその「解決」を追求してきた被害者らの思いを軽んじることにもなりかねない。歴史的な被害の事実をいかに受け止め、植民地支配をめぐる責任をどう清算していくのか――日本軍「慰安婦」の問題は、こうしたことに「日本社会がどう向き合うか」こそが本当の意味での「解決」の一歩となるはずだ。

つまり、「慰安婦」問題を日韓間の外交問題としてのみ捉える視点は一面的に過ぎないばかりか、この問題をますます解決策のない日韓間の「葛藤」として後世に残すことになるだろう。この問題は、国家に翻弄された植民地と戦争の被害者たちをめぐる問題であり、同時に、かつての日本が「大東亜共栄圏」の名のもとに進めた植民地支配と戦争について総括し清算してこなかった日本社会の問題でもある。日本社会が主体的に取り組むことで何らかの解決策を見出していかねばならない課題なのだ。「日韓の対立」、「反日と嫌韓の連鎖」などと問題を矮小化することで「慰安婦」問題の本質を見誤らせてはならない。

この問題について、「何度謝れば済むのか」、「解決を目指しても、ゴールを動かす」などと韓国に対して不信感を露《あらわ》にする人もいるが、そもそもこの問題は謝るだけで済むような性質のものではなく、政府間だけで決めたゴールが終着点になるような類の懸案でもない。そうしたなか、12・28合意に反対し問題を終わらせまいとする被害者支援団体などに対し、この問題を食い扶持にしているから解決させまいとしているのだなどと揶揄する声も聞かれる。

韓国にも、被害者支援団体について、日韓関係を妨げる存在と捉え批判する人たちは少なくない。二〇二〇年に支援団体の元理事長をめぐる不正疑惑が注目されると、ここぞとばかりのバッシングが始まった。支援団体が行ってきたそれまでの活動をすべて否定するかのような批判が相次いだのだ。もちろん疑惑については真実の追求がなされるべきであり、法的な審判も継続している状況で、私はそれについて判断できない。しかし、これまで「慰安婦」問題に大した関心すら寄せてこなかった人たちが、こぞって支援団体の批判に走る姿は異様であった。二〇年、三〇年と続いてきた活動の経緯やその主張について知ろうともせず、「慰安婦」問題をめぐって長年積み重ねられてきた人々の努力や苦悩を想像すらしようともしない人たちが、日本だけではなく韓国にも存在するのだ。

一方で、12・28合意を少なくない被害者が受け入れたのは事実だ。ただ、それを拒否する被害者がいるのもまた事実である。日韓の一部メディアは、「受け入れを表明した三四人の声が、韓国で報じられることはほとんどない」、「一部の元慰安婦が公の場で合意を厳しく批判しており、それとは異なる記事は報じにくい雰囲気が（韓国に）ある」などと、市民運動の人々とともに日本政府に対し厳しい態度を示す被害者ばかりが世論の注目を浴びてきた現実を指摘する。つまり、合意を受け入れた被害者も尊重されるべきであると主張する。妥当な指摘だろう。

しかし同時に、12・28合意を拒否する被害者もまた尊重されてしかるべきであり、それはどちらかの被害者を二者択一するような問題ではない。ありもしない「正しい被害者像」を描き再生産してきた世論の問題こそが批判されるべきだろう。それは、日本の世論やメディアだけの問題ではない。韓国の世論やメディアの無責任な態度についても同様のことが言える。日本が責任を果たすのであれば、最後の一人まで尊重するべきなのは当然のことだ。そもそも近年、どれだけのメディアが被害者一人ひとりの声を伝えてきたというのだろうか。日本社会がこの問題についてどう向き合うかという問題意識もなく、問題の責任を韓国の側へ押し付けるかのような態度は問題のすり替えでしかない。

韓国を訪問し「慰安婦」の被害体験を聞き、「申し訳ない」と涙を流しながら謝る日本人に対し、ある被害者はこう語った。「私たちのような被害者が二度と生まれないよう、日本に帰って政府や社会にこの問題を伝えてほしい」と。日本大使館前の「少女像」が訴えているのはこうした被害者らの思いであり、その像が「反日の碑」ではなく「平和の碑」である理由だ。いま私たち日本社会がすべきは、日韓の対立云々と騒ぐことではなく、この「負の歴史」をどう認識し伝えていくのか主体的に考えることではないか。これ以上、「解決済み」として目を逸らし続けることは許されない。

歴史否定の動き

日本軍「慰安婦」の問題において、被害者の救済とともに重要なのは、私たちがそれをどのように記憶していくのかということだ。この問題を社会がどのように記憶していくのかという課題は、被害者救済においても重要な要素である。被害の実態は日本政府も否定しているわけではなく、また、日本の司法も被害事実そのものは否定していない。しかし、その歴史的事実を矮小化し、まるでなかったことのようにしようとする人々がいる。それがゆえに、日本政府の「謝罪」は何ら意味を持ち得なくなってしまい、未だにこの問題が終わらない最大の原因をつくっていると言えよう。

日本軍「慰安婦」の歴史を矮小化しようとする動きを象徴するような事件が二〇二一年に起きた。米国ハーバード大学ロースクール教授のラムザイヤー（J. Mark Ramseyer）による論文「太平洋戦争における性行為契約（Contracting for sex in the Pacific War）」が国際的な注目を浴びることになったのだ。オランダの出版社が発行する国際学術誌『法と経済学の国際レビュー（International Review of Law and Economics）』のサイトで前年一二月に公開されたラムザイヤー論文は、「慰安婦は売春婦であり、性奴隷ではない」と主張した。日本の産経新聞（二〇二一年一月二八日付オンライン）がその論文の要約を掲載し、その「意義は大きい」と紹介したことから、その論文は広く知られるようになり、国際的な批判が巻き起こった。

韓国では、ラムザイヤーの肩書が「三菱日本法学教授（Mitsubishi Professor of Japanese Legal Studies）」であり、日本の三菱グループからの寄付金によって設けられたポストであることや、彼が二〇一八年に日本政府から旭日中綬章を受けていること、幼少期を長く日本で過ごしたことなども注目を集めた。

また、ラムザイヤーは過去、日本の被差別部落、在日朝鮮人、沖縄の辺野古基地問題、関東大震災における朝鮮人虐殺事件についても論文を発表しているが、二〇二一年の問題をきっかけにそれらにも批判が集まった。いずれの論文も英文であったことや、彼の主なフィールドが会社法や法経済学などであり、いわゆる歴史認識の問題がよく扱われる専門分野（歴史学、社会学、政治学など）とは接点がほぼなかったことから、それまで大きな注目を集めてこなかったようだ。

しかし二〇二一年の論文をきっかけに、過去のものを含め彼の論文について、歴史を歪め差別を助長するものであるとの批判が起きた。また、文献・史料の恣意的な引用など、そもそもの学術的な水準について改めて問題提起がなされたのだった。

ラムザイヤー論文には、韓国だけでなく、米国をはじめとする英語圏の研究者からも問題の指摘と批判が相次いだ。フェミニスト学識者、韓国系米国人協会、ハーバード大学の学生たちからも、ラムザイヤー教授への謝罪要求や大学当局の責任追及、批判や署名活動が展開された。これには、「言論弾圧だ」、「表現の自由の侵害だ」などとラムザイヤー論文を擁護する声も上がったが、ラムザイヤー論文はそれ以前、あるいはそれ以上の問題を抱えているというのが、多くの専門家や研究者たちが下した判断だった。日本でも著名なアンドリュー・ゴードン（日本史）、カーター・エッカート（朝鮮史）といったハーバード大学の同僚教授や、ラムザイヤー論文が活用したゲーム理論の専門家、経済学者たちによる批判の声明も発表された。

専門家たちが共通して指摘したのは、その主張・内容以前に論文の学術的な不備であった。文献・史料の恣意的な引用にはじまり、先行研究を無視し、根拠のないままに提示された主張など、学術論文としてその杜撰さが批判された。

論文内容の具体的な問題についてここでひとつひとつ取り上げることはしないが、「慰安婦」研究の第一人者でもある中央大学名誉教授の吉見義明は、論文が芸娼妓契約や「慰安婦」契約を対象にしていながらその契約書をひとつも提示・検討していない点や、「慰安婦」とされた女性たちが当時どのような状態に置かれていたかについて検討がなされていない点などを指摘している。また、近代日本の公娼制度などを専門とする立教大学教授の小野沢あかねは、ラムザイヤー論文が、軍が主体となった「慰安婦」制度の特異性を無視し公娼制度と同一視しているなどと批判した。一九九〇年代以降これまでに積み重ねられてきた数多くの学問的成果や国際社会の努力を無意味にしかねないのがラムザイヤー論文であった。

一方、韓国・慶北《キョンブク》大学ロースクール教授の金昌禄《キムチャンノク》はこの問題について、論文そのものの問題を超え、そうした杜撰な論文が登場した背景にある歴史修正主義の問題を指摘している。すでに専門家の間では議論の余地もない「慰安婦」被害の歴史的な事実をなかったことにしたい否定論者の試みが、米国にまで拡大しているとの指摘だ。専門家たちの間では、ラムザイヤー論文そのものの批判はもとより、「慰安婦」問題をめぐる歴史認識言説の問題に議論は及んでいる。東北亜歴史財団研究委員の朴貞愛《パクジョンエ》などは、「慰安婦」問題を否定するために「慰安婦は売春婦だった」と引き合いに出される公娼制度をめぐる認識の問題を指摘し、人権・戦時性暴力の問題として、慰安婦制度と公娼制度の深い関係について議論されることの重要性を指摘している。韓国社会でも広く一般には伝わっていない、「慰安婦」問題の本質を問う議論が展開されているのである。

ラムザイヤー論文の問題は、米国有名大学ロースクールの教授という「権威」によって執筆された「学術論文」であるがゆえに、その社会的な影響を危惧する声が上がった。ラムザイヤー論文の歪んだ歴史認識に基づいた主張が流布され、それを根拠にした差別やヘイトスピーチ、歴史の否定が再生産される可能性が指摘されたのだ。

韓国をはじめ国際的に多くの注目と批判を集めたラムザイヤー論文だが、初めに論文を称え広報した産経新聞を除き、日本の大手メディアはこの問題を積極的に取り上げなかった。いまの日本では、日本軍「慰安婦」をめぐる歴史認識の問題が、韓国社会における民族主義の問題や、「表現の自由」の問題にすり替えられてしまうことも多い。歴史修正主義の蔓延は深刻である。

ベトナム戦争における加害の歴史

日本軍「慰安婦」の問題が取り沙汰されると、それに正面から向き合おうとしない人々は、韓国軍によるベトナムでの蛮行を持ち出す。韓国は南ベトナムを支援するため、一九六四〜七三年、約三二万人を派兵しており、参戦各国のうちその規模は米国に次ぐものだった。当時の韓国は充分な経済発展を果たす以前の時代であり、兵士以外にも軍関係の仕事でベトナムへ赴いた人々が多かった。在韓外国人のなかにベトナムからの移民が多いのには儒教という文化的な共通性もあるが、ベトナム戦争を通じた関係も背景にあると言われる。

一九六一年にクーデターによって権力を握った当時の朴正煕政権にとって、国内的にも、北朝鮮との体制競争という意味においても、経済発展により政治的な正統性を確保したい思いが強かった。もちろん米国との同盟関係という名分もあったが、朝鮮戦争によってますます困窮を強いられていた韓国経済の発展は急務であった。日本が朝鮮特需によって戦後復興を果たしたように、実際、韓国経済はこのベトナム戦争や日本との国交正常化などをきっかけに、一九七〇年代以降、経済発展を果たしていく。

ところが一九九九年、このベトナム戦争をめぐってある告発がなされた。韓国の週刊誌『ハンギョレ21』に、「韓国軍、ベトナムで多くの老人や子ども、女性を殺していた」との記事が掲載されたのだ。ベトナム留学中の韓国人研究者によるこの記事は、韓国社会に大きな波紋を呼んだ。それまで、経済発展のきっかけとなった側面や、ベトナムの自由のために多くの兵士が犠牲となった被害の側面などが強調されてきたベトナム戦争が、加害の側面から語られることとなったのだ。二〇〇一年には金大中大統領が、「不本意ながらベトナム国民に苦痛を与えて申し訳なく思っている」と述べている。

一方、米軍が枯葉剤を撒いた地域の戦闘に加わり後遺症などに苦しむ韓国軍兵士は一〇万人以上に及ぶと言われている。過酷な経験から精神を病んだ退役軍人もおり、韓国軍による加害の側面を容易に受け入れられない人々は少なくない。韓国内における告発とともに、ベトナム国内でも実態調査は進められているが、経済的に重要なパートナーでもある韓国に対し、強い態度で臨めないベトナム政府の事情もある。

ただ、ベトナム戦争の被害をめぐる事実の追求と政治的な葛藤はこれからも社会的なイシューとして取り上げられていくことが予想される。過去事に対して被害者の立場を尊重する姿勢を示してきた文在寅大統領だったが、ベトナム戦争をめぐっては認識の低さを見せた。就任直後の二〇一七年六月六日に開催された顕忠日《ヒョンチュンイル》記念追悼式典〈註10〉の演説において、文在寅大統領は「ベトナム参戦勇士の献身と犠牲を土台に祖国の経済が復活した」と韓国軍の功労に言及した。これに対しベトナム政府は、「韓国政府がベトナム国民の感情を傷つけ、両国の友好と協力関係に否定的な影響を与えかねない言動をしないよう要請する」との立場を表明している。

その一方で、二〇一八年四月二一〜二二日の二日間、「ベトナム虐殺真相究明模擬法廷」がソウルで開催された。韓国軍による民間人虐殺の真相を究明しその責任を問おうとする市民平和法廷である。調査の結果、韓国軍に一三五人が殺害されたとされるハミ村の生存者、グエン・ティ・タンさんと、七四人が殺害されたとされるフォンニィ・フォンニャット村のグエン・ティ・タンさん（二人の被害者はたまたま同名）が、国家賠償訴訟の原告として韓国に招かれ、自身と家族の負った被害に対し韓国政府による損害賠償の支給と真相調査などを請求した。市民の手による模擬法廷であるため法的な拘束力はないものの、ベトナム民間人虐殺の公論化を促すというものであった。日本軍「慰安婦」の被害をめぐる「女性国際戦犯法廷」が二〇〇〇年、東京で開催されたのと同様だ。

退役軍人などをはじめとし、このベトナム戦争における韓国の加害責任を議論することに反発する人たちは少なくない。そうした反応が予想されるからだろうが、政府の関心も極めて低い。むしろ問題意識をもつ韓国の人々は圧倒的に少数派であろう。しかし、ベトナム、韓国、加害者の側、被害者の側に関係なく問題意識を持つ人たちの努力によって、歴史の影に埋もれかねなかった被害者の存在が世の中に知らしめられた。

「慰安婦」問題も同じように、日韓の市民の手によって問題が指摘されてきた。特に韓国の女性運動家たちがこの問題に注目しなければ被害者が世に出てくることは難しかったかもしれないし、日本の市民運動がなければ、被害者支援の運動が今まで続いたかどうか分からない。この問題は初めから、日韓の市民がそれぞれの政府や社会を突き動かしてきたのであり、それが可能であったのは、この問題が日韓で、あるいは世界でないがしろにされてきた女性の人権問題であったからだろう。

韓国では二〇一七年、市民団体が主体となり、ベトナム戦争における韓国の責任を問う「ベトナムピエタ」の像が済州島の江汀村《カンジョンマウル》に建てられた。像は、日本軍「慰安婦」の被害者をモチーフにした「平和の碑」（少女像）を初めて製作した同じ芸術家であるという。一方、「慰安婦」の被害をめぐって日本に「平和の碑」が建てられるようなことは、残念ながら現状ではなかなか想像できない〈註11〉。

影響力を増す世論

日韓関係をめぐる議論によく登場する「未来志向」という言葉。聞こえがよく両国で抵抗なく受け容れられる前向きな表現だ。過去にばかり囚われず未来を見据えた日韓関係を構築していかなければならないという考えそのものに異論を唱える者はいないだろう。

しかし、「未来志向」というこの言葉は、日韓双方、あるいは人それぞれによって異なった解釈、都合のよい使われ方がされてしまっているように感じる。前向きに関係を築くことの前提が、「いままでのことはすべて水に流して」と解されているように見えることも少なくない。「未来志向」は本来、「不幸な過去を克服した上で」前向きな日韓関係を構築していこうという意味で使われるべき言葉ではないだろうか。日本政府が決まって口にする「解決済み」という、門前払いの態度は「過去を水に流す」、さらに言えば「無かったことにする」かのような「未来志向」でしかない。そこには植民地支配の過去にどう向き合うかといった謙虚な態度は存在しない。忘却のための未来志向である。

日本では「悪法でも法」という法令遵守の精神が大事にされる。もちろん韓国でも法を遵守することが軽視されているわけではないが、「悪法であれば変えるべき」という意識が多分にある。法とは人がよりよく生きるための社会的な約束であり、誰も幸せにならない悪法は変えていくべきだという意識が強いと感じる。権威主義独裁体制のもと、形式的な法によって民衆が苦しめられた歴史的経験が背景にあるのだろう。

韓国の民主主義は、社会秩序は自分たちの手で創り上げていくものであるという主体性が強い。選挙という民主主義システムを経た以上、「お上」の仕事であると任せ切りにしてしまいがちな日本社会の民主主義とは明らかに様相が異なる。モリカケ問題、桜を見る会など、誰の目にも清廉潔白とは言い難い政権が延命する日本と、「崔順実《チェスンシル》ゲート」〈註12〉によって大統領が弾劾・罷免に追い込まれた韓国の違いは、そうした民主主義の在り方を端的に示しているのではないだろうか。政府の見解とは異なる司法の判断も積極的に下されることが少なくない韓国における法意識は、やはり日本と大きく異なっている。

「国交正常化以降、最悪」とも言われた二〇一九年の日韓関係悪化の発端は、歴史認識の問題であった。「徴用工」問題をめぐり韓国の司法が六五年体制を覆すような判決を下したためだ。日本政府は「解決済み」、「国際法違反」との主張を繰り返し、韓国政府が解決策を示すよう求め続けた。しかし、韓国政府は司法判断に介入することなどできるはずもなく、何ら有効な解決策を示すことができなかった。その結果、日本政府が韓国をホワイト国リスト〈註13〉から除外するという、実質上の経済制裁措置に出たのである。日本政府はあくまで「外交的な通常の措置」であることを主張したが、歴史認識問題にかかる報復措置であったことは誰の目にも明らかであった。これに韓国政府もまた、日韓軍事情報包括保護協定（ＧＳＯＭＩＡ〈註14〉）の破棄（更新保留）という報復措置をちらつかせるといった泥沼の駆け引きが展開された。

「徴用工」や「慰安婦」の問題は一九六五年に解決済みであるとする日本の立場からすれば、韓国政府の対応は「約束破り」ということになるのかもしれない。しかし、韓国政府もまた六五年体制の枠組みを重視する立場をとっている。

新天皇即位の式典に出席するため訪日した李洛淵《イナギョン》総理が、問題解決のために知恵を絞ることが必要であるとしながらも、「（韓国政府は）一九六五年の韓日基本関係条約と請求権協定を尊重し遵守してきたし、これからもそうだ」と発言している。つまり、韓国政府も六五年体制の枠組みを破棄しようとしているわけではないという点で、日韓両政府の間に共通の認識があると見ることができる。先に見たように、「慰安婦」問題に関連し文在寅大統領が、被害者の側に立った判決について「困惑している」と発言したこととも通じる。文在寅大統領は、二〇一五年の12・28合意を実質上破棄したと言われるが、私は、それはあくまで国内向けの態度であり、韓国政府が日本との国際的な約束を軽視したための結果だとは見ていない。

ただし、いまの国際政治は政府レベルの関係のみで成立しているわけではない。日本国内に世論があるように、韓国国内にも世論があり、その世論はときに国の方向性に影響を与える重要な要素となる。民主主義国家である以上、政府が国民世論の顔色を窺いながら政策を進めることになるのは当然のことでもある。ただ、だからと言って韓国社会が「反日」であって文在寅政権がそれを利用している、ポピュリズムであると批判するのは一面的な見方であろう。

先に見たように、「慰安婦」問題然り、「徴用工」問題然り、植民地期の被害にかかわる問題は、韓国社会においてすでに反日感情を煽るだけのものではなく、被害者救済、あるいは人権の問題として捉える視点が生まれている。日韓関係の基本的枠組みである六五年体制を重要と考える政権であっても、国民のそうした視点を無視した判断を強行するのは容易ではないのだ。国民世論を無視した政治を行って弾劾に追い込まれたのがまさに朴槿恵政権であり、その後を受けた文在寅政権が行き詰まったのもまた、国民世論を無視できなかったからであると言うことができよう。

移行期正義という考え方

日韓関係が重要であることは、政治経済、安保などさまざまな理由から、言うまでもない。しかし、そのために個人が犠牲になっていいという話にはならない。歴史認識問題をめぐるいまの議論、特にテレビや新聞を中心に取り上げられる議論は、日韓の外交関係からの視点に偏重している。その結果、日韓関係をめぐる議論において、六五年体制を守るために植民地支配責任の問題がないがしろにされ、被害者救済の主張とはそもそも議論が噛み合わないということが起こっている。

一方で、いまの日韓間には政府レベルの関係だけではなく、さまざまな交流と連携の人的ネットワークが形成されている。政府間の関係がほとんどすべてであった六五年体制の成立当初とは異なり、一九九〇年前後から韓国の経済発展と民主化を背景に、「慰安婦」問題をはじめとした人権や戦後補償の問題を通じ、日韓の市民社会は交流と連帯を深めてきた。また、国際化の波や、韓国における日本大衆文化の開放、さらには韓流や日流といったエンターテインメント産業などを通じ、民間レベルの相互理解もかつてないほどに進んでいる。

多重多層に絡み合った日韓関係はすでに、政府間の関係悪化だけで断絶するようなものではなくなっている。六五年体制の枠組みのなかであってもそうした多重多層の日韓関係を背景に、日本社会は「河野談話」や「村山談話」〈註15〉といった政府の見解を一部評価しながら、植民地支配の責任に向き合う可能性を示してきたと言える。それがまさに国交正常化から六〇年にもなろうとしている日韓関係の到達点だと言うことができるのではないだろうか。

では、六五年体制の枠組みを否定せずに、しかし噛み合わない被害者救済の議論を前に進めるためにはどうしたらよいのだろうか。いまの日韓間における歴史認識問題を考える上で、移行期正義(transitional justice)によるパラダイムシフトに目を向けることが少なからず助けになるのではないか。移行期正義という言葉は一般的には未だ馴染みのない言葉かもしれないが、国際社会において、特に旧ユーゴスラビア、ルワンダ、カンボジアなど、戦争や内戦といった暴力の支配する状態、つまり軍事政権や独裁体制などから民主主義体制への移行にともなう平和構築と和解をめぐる取り組みのなかで主に議論されてきた概念である。言い換えれば、民主主義体制への移行期に、かつて抑圧的な体制のもとで起きた人権侵害の被害者を救済しようとする考えだ。韓国がこれまで行ってきた過去事清算の取組みはまさにその移行期正義の実現であったと見ることが可能である。

一方で「慰安婦」問題が戦時性暴力の問題として捉えられているのも、一九九〇年代に旧ユーゴスラビアやルワンダで起きた凄惨な事件をきっかけに国際刑事裁判所が常設されるようになり、戦時下における性暴力の問題を法的に裁くことのできるシステムを国際社会が構築してきたその一環として位置づけられる。韓国の市民社会が取り組む、ベトナム戦争に対する韓国政府の責任追及もまた然りである。国際秩序を重視してきた国際法の価値観に、個人の人権を重視するという潮流が少しずつ生まれてきている現実がある。

もちろん、過去の出来事を遡及し処罰の対象にすることができるのかという問題は依然として残る。また、移行期正義とは国内秩序の転換を捉えるための概念であり、国家間のパラダイムシフトに果たして応用できるものだろうかという指摘もあり得るだろう。それでも近年、かつての帝国主義国家による植民地支配の被害を救済しようとする国際社会の動きが見られるようになった。厳然として存在する被害者をそのまま見過ごしてよいのかという、考えてみれば当然とも言える視点が国際社会において芽生えているのだ。明治学院大学教授の阿部浩己は、日本の司法と比べ、韓国の若い裁判官たちが国際的な交流への参加に積極的であるため、人権侵害の被害者救済という潮流にも敏感であることを指摘している。

日本による植民地支配のもと人権侵害の被害にあった人たちがいたという事実を踏まえるならば、では、どのような救済が可能だろうかというところから模索を始める、それが移行期正義のパラダイムシフトだと言えよう。六五年体制によって充分でなかった被害者救済をどのように可能にするのか。これは日韓両国が対立すべき問題ではなく、両政府、両国社会がともに解決していくべき課題でもあると、私は考える。

【註】

〈1〉「愛国歌」の歌詞：東海《トンヘ》の水が乾き、白頭山《ペクトゥサン》が朽ち果てても　神がお護りくださる我が国万歳　無窮花《ムグンファ》、三千里、華麗な山河　大韓人は大韓を　永遠に保全しよう（駐大阪大韓民国総領事館韓国文化院HPより）

〈2〉一九八〇年五月一八日～二七日、全斗煥らの軍部クーデターに抗議した光州市の大学生や市民を軍が弾圧。市民は抵抗するも、軍によって多くの犠牲者が出た。行方が分からなくなった者も多数おり、後遺症により苦しむ人たちもいる。日本では「光州事件」として知られているが、韓国の民主化における意味の大きさから、いまでは「民主抗争」、「民主化運動」と位置付けられるようになっている。

〈3〉加藤内閣官房長官発表（加藤談話）一九九二年七月六日：「朝鮮半島出身のいわゆる従軍慰安婦問題については、昨年一二月より関係資料が保管されている可能性のある省庁において政府が同問題に関与していたかどうかについて調査を行ってきたところであるが、今般、その調査結果がまとまったので発表することとした。調査結果については配布してあるとおりであるが、私から要点をかいつまんで申し上げると、慰安所の設置、慰安婦の募集に当たる者の取締り、慰安施設の築造・増強、慰安所の経営・監督、慰安所・慰安婦の衛生管理、慰安所関係者への身分証明書等の発給等につき、政府の関与があったことが認められたということである。調査の具体的結果については、報告書に各資料の概要をまとめてあるので、それをお読み頂きたい。なお、詳しいことは後で内閣外政審議室から説明させるので、何か内容について御質問があれば、そこでお聞きいただきたい。／政府としては、国籍、出身地の如何を問わず、いわゆる従軍慰安婦として筆舌に尽くし難い辛苦をなめられた全ての方々に対し、改めて衷心よりお詫びと反省の気持ちを申し上げたい。また、このような過ちを決して繰り返してはならないという深い反省と決意の下に立って、平和国家としての立場を堅持するとともに、未来に向けて新しい日韓関係及びその他のアジア諸国、地域との関係を構築すべく努力していきたい。／この問題については、いろいろな方々のお話を聞くにつけ、誠に心の痛む思いがする。このような辛酸をなめられた方々に対し、我々の気持ちをいかなる形で表すことができるのか、各方面の意見も聞きながら、誠意をもって検討していきたいと考えている。」

〈4〉慰安婦関係調査結果発表に関する河野内閣官房長官談話（河野談話）一九九三年八月四日：「いわゆる従軍慰安婦問題については、政府は、一昨年一二月より、調査を進めて来たが、今般その結果がまとまったので発表することとした。／今次調査の結果、長期に、かつ広範な地域にわたって慰安所が設置され、数多くの慰安婦が存在したことが認められた。慰安所は、当時の軍当局の要請により設営されたものであり、慰安所の設置、管理及び慰安婦の移送については、旧日本軍が直接あるいは間接にこれに関与した。慰安婦の募集については、軍の要請を受けた業者が主としてこれに当たったが、その場合も、甘言、強圧による等、本人たちの意思に反して集められた事例が数多くあり、更に、官憲等が直接これに加担したこともあったことが明らかになった。また、慰安所における生活は、強制的な状況の下での痛ましいものであった。／なお、戦地に移送された慰安婦の出身地については、日本を別とすれば、朝鮮半島が大きな比重を占めていたが、当時の朝鮮半島は我が国の統治下にあり、その募集、移送、管理等も、甘言、強圧による等、総じて本人たちの意思に反して行われた。／いずれにしても、本件は、当時の軍の関与の下に、多数の女性の名誉と尊厳を深く傷つけた問題である。政府は、この機会に、改めて、その出身地のいかんを問わず、いわゆる従軍慰安婦として数多の苦痛を経験され、心身にわたり癒しがたい傷を負われたすべての方々に対し心からお詫びと反省の気持ちを申し上げる。また、そのような気持ちを我が国としてどのように表すかということについては、有識者のご意見なども徴しつつ、今後とも真剣に検討すべきものと考える。／われわれはこのような歴史の真実を回避することなく、むしろこれを歴史の教訓として直視していきたい。われわれは、歴史研究、歴史教育を通じて、このような問題を永く記憶にとどめ、同じ過ちを決して繰り返さないという固い決意を改めて表明する。／なお、本問題については、本邦において訴訟が提起されており、また、国際的にも関心が寄せられており、政府としても、今後とも、民間の研究を含め、十分に関心を払って参りたい。」

〈5〉憲法裁判所とは、一般の裁判所（韓国では「法院」と言う）とは別に憲法判断を専門に行う独立の司法機関。大法院（日本の最高裁判所）とは異なり、積極的な憲法審判を行うことで存在意義を示す。

〈6〉挺対協は二〇一八年、「日本軍性奴隷制問題解決のための正義記憶連帯」（正義連）へと発展的に改編された。

〈7〉一九九五年から二〇〇二年のあいだ、「女性に対する暴力、その原因と結果に関する特別報告者」であったラディカ・クマラスワミ（Radhika Coomaraswamy）によって国連人権委員会に提出された数十本の報告書のうち、日本では特に一九九六年の「日本軍性奴隷制に関する報告書」が知られている。

〈8〉一九九八年と二〇〇〇年の国連人権委員会差別防止少数者保護小委員会に、「組織的強かん、性奴隷制および奴隷制類似慣行に関する特別報告者」だったゲイ・マクドゥーガル（Gay McDougall）が提出した二つの報告書のこと。日本軍「慰安婦」の問題について、「強かん所（rape center）」

などの表現を用い、日本政府に問題の解決を勧告した。

〈9〉二〇〇七年三月、安倍首相は訪米を前に、「河野談話」と関連し「定義されていた強制性を裏づけるものはなかった」と語るとともに、「慰安婦」被害における強制性を否認するような政府答弁書を閣議決定した。そうした安倍首相の発言が米国内で報道され大きな反発を招くと、安倍首相は訪米中、日米首脳会談でブッシュ大統領に「謝罪」の言葉を口にした。

〈10〉顕忠日《ヒョンチュンイル》とは国土防衛のために命を落とした者を追悼する日（第Ⅲ章一八四頁参照）。

〈11〉「あいちトリエンナーレ2019」の展示ですら騒ぎになったことから分かるように、「平和の碑」は二〇二二年現在、日本のどこにも設置されていない。ただし、「慰安婦」関連の慰霊碑や記念碑は、千葉、大阪、沖縄に存在する。

〈12〉「崔順実ゲート」とは、当時の大統領、朴槿恵と個人的に関係の深かった崔順実が裏で国政に介入し、大統領の権力を笠に私益を得ていたとされる政治スキャンダル。何の肩書きもない単なる民間人の崔順実が国政を左右していたことに人々は驚き、また憤りを覚えた。韓国では「国政壟断事件」と呼ばれた。

〈13〉海外貿易においては本来、物の輸出や技術の提供について、大量破壊兵器や通常兵器の開発などに使用されるおそれがあるかどうかを判断する規制が設けられている。しかし、そうした規制の対象にしなくても問題なしとした国々については、「ホワイト国」として規制の対象外とする優遇措置を受けることができるようになっている。

〈14〉GSOMIAは、日韓間でお互いに提供し合った秘密軍事情報について、第三国への漏洩を防止するための協定。つまり、お互いに安心して軍事情報の共有をしていこうという情報保護の取り決めである。

〈15〉村山内閣総理大臣談話「戦後五〇周年の終戦記念日にあたって」（いわゆる村山談話、一九九五年八月一五日）は、「私たちは過去のあやまちを二度と繰り返すことのないよう、戦争の悲惨さを若い世代に語り伝えていかなければなりません」とするとともに、「わが国は、遠くない過去の一時期、国策を誤り、戦争への道を歩んで国民を存亡の危機に陥れ、植民地支配と侵略によって、多くの国々、とりわけアジア諸国の人々に対して多大の損害と苦痛を与えました。私は、未来に誤ち無からしめんとするが故に、疑うべくもないこの歴史の事実を謙虚に受け止め、ここにあらためて痛切な反省の意を表し、心からのお詫びの気持ちを表明いたします。また、この歴史がもたらした内外すべての犠牲者に深い哀悼の念を捧げます」と言及した。

III
苦悩する韓国社会

国家への期待と失望

反共と六月民主抗争

李承晩《イスンマン》政権期、六月六日は朝鮮戦争（一九五〇～五三年）で命を落とした将兵を追悼する日に定められた。その後、朴正熙《パクチョンヒ》政権期、「顕忠日《ヒョンチュンイル》」として公休日に指定され、六月は「護国報勲の月」となった。旧暦の六月六日はもともと朝鮮王朝時代から、豊作を願い先祖を祀って祭事を行う「芒種《マンジョン》」という日に当たり、そうした伝統を朝鮮戦争の戦没者を祀ること、そして国家の繁栄を祈念する国の行事に結び付けたのだ。「護国英霊の冥福を祈り殉国鮮烈および戦没将兵の崇高な護国精神と遺訓を追悼する日」とされた顕忠日を含む六月には、護国報勲の月として一カ月間、国民の愛国心と安全保障意識を高めるための各種行事が行われるようになった。

顕忠日には毎年、大統領をはじめ政府要人が国立ソウル顕忠院を訪れ記念式典が行われる。その様子はテレビ中継され、午前一〇時にはサイレンの音とともに一分間の黙祷が行われる。顕忠院とはいわゆる国立墓地のことだが、当初は朝鮮戦争の戦没者のみを対象とした「国軍」墓地だった。それが後に、戦没者に加え国家の発展に寄与した人々もその対象に含まれるようになった。

軍人や警察官、消防士、独立運動家、国家功労者など、広大な敷地に一七万余りの「英霊」が祀られているという。初代大統領である李承晩、長期政権を築きながら暗殺に倒れた朴正熙、そして金泳三《キムヨンサム》、金大中《キムデジュン》といった歴代大統領の墓もここにある。自ら命を断った盧武鉉《ノムヒョン》元大統領は生前からの意向により、退任後に私邸を構えた慶尚南道金海市《キョンサンナムドキメ》の烽下村《ボンファマウル》に葬られており、この顕忠院に墓はない。二〇二一年に死去した二人の元大統領、盧泰愚《ノテウ》、全斗煥《チョンドゥファン》もまた、光州事件に関与したことなど、国民世論の反発が予想されたことから顕忠院に葬られなかった。

植民地からの解放後、一九四八年八月一五日に大韓民国（韓国）は政府樹立を宣言した。同年九月九日には朝鮮半島の北側で朝鮮民主主義人民共和国（北朝鮮）もまた政府の樹立を宣言した。生まれながらにして北との体制競争を余儀なくされた韓国は、強力な大統領制のもと反共政策を国家の根幹としてきた。民主化を果たした現在まで、戦前日本の治安維持法をモデルにしたとも言われる国家保安法が批判にさらされながらも廃止にならず維持されている。それも、根強く社会に残る反共意識によるものだ。

一九四八年、大韓民国政府樹立の前後においては、済州《チェジュ》4・3事件（四月三日）や麗水《ヨス》・順天《スンチョン》事件（一〇月一九日）などの国家暴力による犠牲が歴史に大きな傷跡を残している。いずれも、左翼、共産主義者とされた多くの市民が軍や警察の手によって殺された。共産主義者による暴動、反乱によって起きた事件とされ、かつては事件を語ること自体がタブー視された。そうした緊張感がようやく緩和され始めたのもここ十数年という最近になってのことだ。二〇〇〇年代に入り政府による真相究明が進み、特に歴史清算事業を積極的に進めた盧武鉉政権期の二〇〇六年、大統領が初めて済州4・3事件の犠牲者慰霊祭に出席し、島民に向けて正式謝罪を行った。二〇一九年に至っては軍と警察も初めて公式に謝罪を表明しているが、事件の真相は依然としてすべて解明されたとは言えず、その歴史を否定しようとする人々がいるのも現実だ。

共産主義者、「パルゲンイ（빨갱이：アカ）」とのレッテルを貼られた多くの市民が虐殺されたのは、一九八〇年の5・18光州民主化運動も同じである。民主化の過程では反政府活動をする者たちが「パルゲンイ」として警察や軍の暴力に晒された。国家にとって都合の悪い人物が、「不純分子」、「パルゲンイ」として国家保安法の名のもとに摘発され、排除された。国民による政府批判の矛先を逸らそうと、国家権力による恣意的な事件捜査、意図的な冤罪事件も多数あったと見られる。少なくない在日コリアンが「パルゲンイ」のスパイ（間諜）として拷問を受け独裁政権のスケープゴートにされたこともあった。冤罪・捏造事件[註1]は近年、再審が進められ次々と無罪を勝ち取っているが、未だにその尊厳回復は十分でない。

いまでも、保守派が進歩派を誹謗中傷するときの常套句となっているのが「パルゲンイ」だ。国家保安法によって合法的に思想を制限しうる余地のある韓国社会において、「パルゲンイ」、「共産主義者」というのは、相手を無条件に貶める言葉でもある。共産主義を受け入れるということは、そのまま大韓民国の存在そのものを否定することに繋がるという認識だ。日本では以前、文在寅大統領が「従北左派（北の共産主義に従う左派）」と紹介されることもあったが、これはまさに、韓国の保守派による「パルゲンイ」のレッテル貼りをそのまま借りた軽率な解釈であったと言える。

韓国が民主化したとされるのが一九八七年である。それまでの軍事独裁政権を退かせ、大統領直接選挙制のための改憲を実現するという民主化への道を開いたのが六月民主抗争である。韓国では、一九七〇年代、長期独裁政権を狙った朴正煕のもと、大統領の直接選挙制が廃止されていた。民主的な直接選挙制が実施されれば、クーデターによって権力を手にした自身が大統領の座から引き摺り下ろされると考えたのだろう。

しかし一九七九年、朴正煕が殺害されたその空白を埋める形で大統領の座に就いた全斗煥軍事政権への反発から、大統領直接選挙制の要求が民主化の象徴として国民の間に広まった。大統領を自分たちの手で直接選べることが即ち民主主義である、となったのである。朴正煕と同様にクーデターにより政権を握った全斗煥は、直接選挙のもとでは政権維持が難しいと判断して、「四・一三護憲措置」を発表し国民の要求を拒んだ。そうしたなか、朴鐘哲《パクジョンチョル》事件が起きた。ソウル大学の学生、朴鐘哲が、警察の水拷問によって死亡、これを警察が隠蔽しようとしたことが発覚したのだ。警察は記者会見で「机をバンと叩いたらウッと死んだ」という何とも人を馬鹿にしたような弁明を行い、国民の怒りをさらに買うことになった。国家権力の腐敗がそれほど進んでいたということだろう。そうした事件もひとつの背景となって国民の政権批判は最高潮に達し、大統領直接選挙制を求める民主化要求の動きが全国的に広がった。これが六月民主抗争である。

六月民主抗争の末、一九八七年六月二九日、次期大統領候補とされていた民主正義党の盧泰愚《ノテウ》代表により、大統領直選制を含む改憲の約束が発表され、これが韓国の民主化宣言となった。学生運動からはじまった六月民主抗争は、大統領直選制の実現という目標のもと大衆の支持を得て社会的に大きなうねりとなり、韓国の民主化を実現した。民主主義国家としての韓国は、国民の手によって勝ち取ったものであり、国家とは「私たちの国」なのである。政治を「お上」のやることと考え、社会問題について政治家に何とかしてもらうという感覚の強い日本とは大きく異なる。韓国社会の政治に対する強い主体性はこうして生まれており、日本とは、政治に対する意識、そして国家観に大きな違いがあるのを感じる。「私たちの国」であるから、期待も大きければ、問題意識も強い。

その一方、韓国では、民主主義の発展のためには、反共を大義名分にして人権を抑圧する国家保安法の廃止が急務であるということが、以前より指摘されている。私は、日本における民主主義の限界に天皇制があるように、韓国の多様な価値観の発展には反共という限界があると感じている。世界的にはすでに過去の遺物のようにもなった反共かもしれないが、依然として冷戦の構図が残る朝鮮半島においてそれは重要な問題である。反共の精神が隅々にまで浸透している韓国社会の背景には、やはり朝鮮戦争が残したものが大きく影響していると言えよう。

米ソ東西に分かれた冷戦構造のもと、同じ民族が殺し合うことになった朝鮮戦争は、一九五三年七月二七日に停戦協定が結ばれたものの「終戦」したわけではない。朝鮮戦争中は南北軍兵士だけで約六六万人、民間人は二〇〇〇万人以上の死者（行方不明者を含む）を出したとされている。国連軍や中国人民軍の犠牲まで含めると大変な数の命が奪われたことになる。

戦争中には一時、韓国の九〇％に当たる地域が朝鮮人民軍に侵攻され、南側の政府が首都ソウルから半島南端の釜山《プサン》に移されるなど、韓国という国家の存在自体が危ぶまれる状況もあった。「北朝鮮がある限り兵役はやむを得ない」というのは、韓国の男性たちからよく聞かれる「諦め」と「使命感」の入り混じった言葉である。多くの男性が喜んで兵役に就くわけではないが、それを正当化せざるを得ない状況が未だに韓国社会を支配している。

セウォル号事件

日本では二〇一二年、朴槿恵《パククネ》大統領の誕生が「初の女性大統領」などと肯定的に紹介されたが、韓国での受け止め方は少し違った。日本と同じように女性の社会的地位が決して高いとは言えない韓国では、女性大統領誕生の可能性に誰もが懐疑的だったが、「朴槿恵候補は別」と言われた。

彼女は性別を超え、「朴正熙の娘」であることが特別なのだ。軍人出身の朴正熙が大統領となった一九六〇~七〇年代は、反共の名のもとに多くの人権弾圧が行われた「暗黒の時代」であったと認識されると同時に、朴正熙大統領の強力なリーダーシップによって「漢江《ハンガン》の奇跡」と呼ばれる急速な経済成長が達成された。韓国が国際社会に認められる基盤となった時代と捉えられている。功罪合わせ持つとされる朴正熙大統領ではあるが、歴代大統領としての人気は常に高い。

その娘の朴槿恵は、経済的困難にさらされる庶民生活の改善や政治不信の払拭に強いリーダーシップを発揮することが期待され、二〇一一年、大統領に選ばれた。父・朴正熙のようなカリスマと強いリーダーシップによって「強い韓国」の再建が期待されたのだ。しかし、実際は国民とのコミュニケーション（意思疎通）を欠いた「不通《プルトン》」が不評を買った。世論や庶民感覚と乖離した政治手法は「帝王的大統領制」の弊害とされ、最後は憲政史上初の弾劾罷免によってその座を追われた。朴正熙のようなリーダーはすでに時代にそぐわなくなっていたと言えよう。

それでも、有罪判決を受け収監された朴槿恵を不憫に思う国民もおり、一部の保守層からは未だに熱烈な支持を受けている。朴槿恵大統領の弾劾によって誕生した文在寅大統領は、自身の退任直前である二〇二二年三月、朴槿恵前大統領の健康問題などを理由に特別恩赦（特赦）を与え、大きな話題となった。保守派に政権の座を譲ることになった進歩派の文在寅政権にとって、退任前、保守派に貸しをつくっておくという政治的判断であったとも言われる。そして、拘置所を出て故郷の大邱《テグ》に到着した朴槿恵前大統領は、弾劾罷免され有罪判決まで受けた政治家とは思えないほどに支持者たちの大歓迎を受けた。

　このように一部の保守層から絶対的な支持を受ける朴槿恵であったが、その彼女が大統領として弾劾罷免を受けることになった要因のひとつとも言える事件が、セウォル号事件である。二〇一四年四月一六日に起きた旅客船セウォル号の沈没事故は、「国家とは何か」という疑問を韓国の人々に抱かせる大きな出来事でもあった。仁川《インチョン》港から済州島《チェジュド》に向けて出発した大型旅客船セウォル号が全羅南道《チョルラナムド》珍島《チンド》郡（朝鮮半島の南端付近）の沖合で転覆した。この船には、修学旅行で済州島に向かう途中だった京畿道《キョンギド》安山《アンサン》市の檀園《タヌォン》高校二年生、三二五人と引率教員一四人のほか、一般客一〇八人、乗務員二九人の計四七六人が乗っていた。

　私も仕事の合間、事故の報に接したが、当初は「全員救出」と報道されており、ほっと胸をなでおろしていた。ところが、夕方になって再びニュースを見てみると、どうも様子がまったく異なっている。「救助が難航している」というのだ。私はニュースに釘付けになった。すでに時は夜を迎えていたのに加え、事故現場の海流が速く悪天候であった。その後、メディアは救助が遅々として進まない状況と事故原因をめぐるさまざまな疑惑を伝え始めた。

　セウォル号の事故は、二九九人の死者と五人の行方不明者、そして捜索作業中の事故によって八人の死者を出した。檀園高校の生徒は二五〇人が犠牲となった。事故後、十数日の間、メディアは連日救助の状況を報道し、私も新たな救助報道がないだろうかと暇さえあればメディアに目を向けていた。一人でも多くの生存者が救助されることを祈りながら、そして時が経つにつれ、犠牲者の亡骸が少しでも早く家族のもとに戻ることを願いながら報道を追ったのは、私だけでなく、韓国に住む多くの人々に共通した経験だろう。

それはすでに他人事ではなかった。私も、職場の机で関連報道にひとり涙を流したのは一度や二度のことではない。少しずつ事故当時の状況が明らかになっていくなか、回収された生徒のスマートフォンに残された動画が報道された。大きく傾く事故直後の船内で救助を待つ子どもたちの様子に多くの人たちが胸を締め付けられる思いをしたはずだ。近年の日本で3・11東日本大震災が社会共通の経験として記憶されているように、韓国社会において、セウォル号の記憶は多くの人が共有する心の痛みとなった。

この事故は単なる事故では終わらなかった。船会社による常態化した過積載の問題などとともに、救助体制の不備や対応のまずさが明らかになり、国民の非難は政府へと向いた。船会社の責任はもちろん、政府の管理体制に大きな問題があったことが指摘されたからだ。船の安全を守るべき機関が充分にその役割を果たしていなかったことは、長年にわたる政官財の癒着が遠因であったという指摘もなされた。船の運航会社は過積載によって不当に利益を上げていたわけだが、それを取り締まる海洋警察や安全検査を行うべき行政機関などがそれを見逃していたのではないか、また政治家が運航会社から利益供与を受けることでそれを可能にしていたのではないかといった疑惑である。

乗客を見捨てて真っ先に船から逃げ出した船長をはじめ、船員のほとんどは待遇が充分でない非正規雇用の社員であり、韓国社会の構造的な問題も指摘された。そして何よりも、海洋警察（日本の海上保安庁）が適切な救助を行わなかったことが大きな非難の的となった。緊急移送が必要な被害者を差し置き、海洋警察の幹部が先にヘリコプターを利用していたことも、後に明らかになった。救助活動の間、虚偽ととられるような弁明も含め、行方不明家族に対する説明はどう見ても不充分であった。

被害者は大統領に窮状を直訴し強力なリーダーシップによる早急の救助活動を懇願したが、先進国であったはずの「強い韓国」はまったく機能しなかった。国家への期待は大きな失望に変わった。そうして、セウォル号の事故は後のキャンドル・デモのひとつの大きな原動力にもなった。セウォル号事件の三年後、朴槿恵大統領は政治スキャンダルによって弾劾請求を受けることになったが、メディアのインタビューに、セウォル号の事故について「去年だったか、一昨年だったか」（正確にはインタビューの時点で三年前だった）と言及し、社会が共有する心の痛みにまったく共感をしていない様子を自ら露呈した。朴槿恵大統領はそもそも事故直後の七時間、どこで何をしていたのか分かっていない。大統領として適切に対処したのかが問われていたなかでの「去年だったか、一昨年だったか」という発言は、多くの国民にこれ以上ないほどの失望を与えたに違いなかった。

セウォル号の事故をめぐっては、「大韓民国の沈没を意味する」などと、国や社会の構造的な問題を解決しなければならないとする指摘がなされた。犠牲者に多くの高校生が含まれ、経済発展ばかりを優先し弱いものが犠牲になるような、「こんな国にしてしまい申し訳ない」と、大人たちは気持ちを吐露した。事故の問題を自分たちの問題として引き受けようとする姿がさまざまな場面で見られた。セウォル号の事故は、犠牲となった家族だけでなく韓国社会を構成する人々の胸に歴史的な出来事として刻まれることとなった。セウォル号の惨事を共有した韓国の人々が、国家を私物化したとされる朴槿恵大統領の親友、崔順実《チェスンシル》に激怒し、「韓国を国らしい国にする」と約束した庶民的かつ人権派弁護士の出身である文在寅、つまり国民と同じ目線を持った大統領に期待を寄せた理由でもある。

二〇一四年当時、事故の犠牲者を追悼する合同焼香所がソウル市庁前広場にも設置されたので、私もそこを訪れた。外国人である私にとっても、あの時をそこで過ごした経験は、決して小さな記憶ではない。事故直後から多くの犠牲者が出ていることに心を痛め、連日の救助活動を見守った、韓国社会の多くの人たちが共有する記憶である。当時の映像などを目にすると、いまでも胸が苦しくなる。

黄色いリボンが掲げられたソウル市庁前広場

当時、ソウル市庁前広場には、行方不明者の無事を願うのと犠牲者の追悼を意味する黄色いリボンとともに大きく「미안합니다《ミアナムニダ》（ごめんなさい）」と書かれた横断幕が掲げられた。そこには多くの人たちが追悼のために静かに列をつくっていた。犠牲者のため手を合わせる人々は何を思ったのか。国家という存在、この国の国民であるということについて、そして国家は国民のために一体何をしてくれるのか、韓国の人々はセウォル号の事故を通じて、再び考えさせられることになった。

そして二〇二二年一〇月二九日、再び同様の事故が起きた。その夜、ハロウィンを楽しもうとソウルの繁華街・梨泰院《イテウォン》に集まった多くの若者が、混雑のなか狭い坂道で折り重なり圧死するという惨事であった。二名の日本人犠牲者も含まれた。韓国で「梨泰院惨事」と呼ばれるこの事故は、行政や警察、消防などが事前の対策を十分に取ってさえいれば避けられたはずではなかったかと見られている。また、事前に対策を取らなかった政府に対しても批判が向くなか、犠牲者の四十九日追悼集会には尹錫悦《ユンソンニョル》大統領はじめ政府および与党関係者は誰一人姿を見せなかった。尹錫悦大統領にいたっては、経済界が主催する別の行事に参加し談笑する様子が報道された。またしても多くの若者たちが犠牲になった事件をめぐり、国家は何をしてくれたのか、共感すら見せない政治に多くの人々は失望と怒りを覚えたのである。

一三桁の背番号

「私たちの国」と考えられるからこそ、国家の在り方に対する問題意識が強いのかもしれないと述べたが、その一方で、だからこそ国家を信頼していると言えるのかもしれないと感じる時もある。二〇二〇年、コロナ禍の初期対応における韓国型の徹底した防疫管理体制は、のちに韓国政府自らも「K防疫」と自負したものであったように、韓国の人々にも信頼を持って受け入れられた。しかし、そのK防疫は、おそらく他国ではプライバシーの問題から実現困難であろうと思われるほどに徹底した国家の管理を前提にしており、その前提となったのが韓国独自の住民登録番号制度であった。

韓国には、個人情報に対する無防備な意識と合理性の追求が見られる。その端的なものが、住民登録番号という一三桁の「背番号」だ。二〇一五年、日本ではマイナンバー制度が導入され金融取引にはじまり、医療保険など、その活用が少しずつ拡大されているが、韓国では従来、国内在住の国民すべてに一生変わることのない一三桁の固有識別番号が付与されている。生年月日、性別、出生地などの情報を数字化したこの番号は、出生届けと同時に生成・付与される。韓国国民は満一七歳になると、両手一〇指の指紋を役所で登録し住民登録証というカードの発給を受けることになっている。ちなみに、外国人もまた、九〇日以上韓国内に滞在する場合、出入国管理のもと外国人登録が義務付けられており、やはり生年月日や性別、出身地域などをもとに構成された一三桁の固有番号が付与され登録証の携帯が義務付けられる。日本ではマイナンバー制度導入より以前に「住民総背番号制」をめぐる議論があったが、まさにそれと同様の制度である。

韓国では、生活上のあらゆる場面でこの登録番号が活用される。行政手続きにおける本人確認はもちろんのこと、日常的に、例えば銀行取引や不動産売買、クレジットカードの発行、携帯電話やインターネットの契約、病院の受付、選挙や年金、教育、納税など行政に関連するシステムなどなど。「日本にはそういう番号がない」と韓国の友人に話すと、では一体どうやって本人確認をするのか？　と不思議がられる。それほど、韓国では住民登録番号が当たり前のものとなっている。

海外にも似たような番号制度は存在する。しかし、例えば米国の場合、社会保障番号（social security number）制度として成り立っており、番号は福祉サービスを受けるためのものとして限定的に使用され、番号そのものも異なった番号の再発行が可能だという。これに対し、韓国の住民登録番号は原則として一生変更が不可能な固有番号になっている。その住民登録制度のもとに各個人に関する多くの情報が集積され管理されている。そのため、登録番号さえ分かれば、あらゆる個人情報をさまざまな場面で引き出すことが可能だ。おかげで、病院などに保険証をわざわざ持って行かなくても、窓口で番号を告げるだけで氏名や国民健康保険加入の有無などが照会され、すぐに診察を受けることができる。韓国にも年末調整の制度があるが、ほぼすべて電算化された納税システムが構築されており、当該年度に使ったクレジットカードの内訳などから支出控除に該当する品目、例えば医療費や教育費、保険料などが自動的に計算されるので、特別なことがなければ十数分もあれば書類を揃えることが可能である。

韓国政府による「K防疫」を可能にしたのもこの住民登録番号制度があったからである。感染者が判明すると、管理された個人情報を追跡することでその動線が細かに把握された。広く普及している電子決済システムもその一助になった。例えば、電車やバス、タクシーなどの公共交通機関を利用し、飲食店に立ち寄ったとすれば、それらはすべてクレジットカードの明細から時間や場所が把握された。

コロナ禍が長引くと、飲食店などの訪問時にはスマートフォンのQRコード機能を活用し個人情報の登録を義務化することで、感染者発生時の動線把握を可能にした。これらは住民登録番号によって個人情報が一元化されることで可能になった。ワクチン接種の有無も住民登録番号に紐付けされているため、飲食店利用時の接種確認義務化も容易であった。抜け道を探すのは難しく、例外的にワクチン接種ができない人、あるいはしない人は外食がほぼできなくなった。

さまざまなシステムが住民登録番号によって効率化されており、便利ではある。しかし、よく考えてみると怖くもある。宮部みゆきの小説『火車』は韓国で映画化された。映画のタイトルは小説と同じだが、設定が韓国となっているために住民登録番号制度が登場する。主人公の婚約者である女性が失踪しその行方を追っていく過程で、彼女が他人の住民登録番号を盗用してまったくの別人になりきって生きてきたことが明らかになるのだ。原作小説でも他人になりすましていたという設定は同じだが、番号制度が当たり前の韓国ではそれがよりリアリティをもって観客を映画にのめり込ませたのではないか。

現実の社会でも、婚姻届を出しに役所に行ったところ、すでに知らぬ男性と婚姻関係が結ばれていたことが分かった、などという事件が起きている。知らぬ間に番号が盗用され知らない婚姻届が提出されていたのだ。番号さえあれば誰もが本人と信じて疑わず、住民登録番号を万能視するがゆえに、逆に、それが偽りであることを法的に証明するのは容易ではない。それだけで個人を特定できる住民登録番号は、非常に効率の良い番号である反面、盗用されやすくもあり、また盗用されても発覚しづらいばかりか、本人が本人であることを住民登録番号以外の手段によって証明することが困難になるといった危うさを併せ持つのである。

そうした危険性は二〇〇〇年代に入って少しずつ認識されるようになり、二〇一四年には、個人情報であるこの住民登録番号の提供をむやみに要求してはならないとして、法的に定められた場合にのみ住民登録番号の活用が許されるという規制が設けられた。そうした社会的な認識の変化を促したのが、頻発した個人情報流出事件だった。なかでも、韓国史上最大の個人情報流出事件と言われたのが、二〇一一年に起きた、国内最大のオンライン・サービス・プロバイダ、SKコミュニケーションズが運営する人気ポータルサイト「NATE」とSNSコミュニティーサービス「Cyworld」の会員約三五〇〇万人の個人情報がハッキングされたという事件だった。〈註2〉流出した情報には、会員の氏名やメールアドレス、携帯電話番号などとあわせ、当然のように住民登録番号が含まれていた。番号は暗号化されていたため大きな問題にはならないはずだというのがSKコミュニケーションズ側の説明だったが、住民登録番号は一生変らない固有番号であるから恐ろしい。

住民登録番号の問題は、流出だけではない。この一三桁の番号には多くの情報が紐付けされており、番号そのものが個人情報である。一三桁の番号は前半六桁と後半七桁に分かれており、前半の数字は、西暦の下二桁、月、日という構成で生年月日を意味しており、後半の数字は、一桁で示される性別（男1、女2、二〇〇〇年生まれ以降は男3、女4）からはじまり、四桁からなる出生届地域番号、二桁からなる出生届役所の登録順、検証のためのランダムな数字二桁、という構成になっている。そのため、年齢や性別などは誰もが一目で判別できてしまう。性的少数者のような場合もそうであるが、脱北者や帰化者なども出生届地域を示す番号からその出自が分かってしまう可能性があり、プライバシーの問題が指摘されてきた。

韓国における住民登録制度の起源は、植民地時代に日本が施行した「朝鮮寄留令」に遡る。朝鮮寄留令は一九四二年、日本が総力戦に突入するなか総動員体制に朝鮮人を組み込む過程において、兵力や労働力の動員という人的資源確保を目的に制定されたと言われる。そして日本の敗戦後、植民地から解放された韓国では、北朝鮮との厳しい体制競争のなか、いかに国民を管理・統制し「不純分子」を排除するかという目的のもとにそれを発展させてきたのである。いまの住民登録法の原型が制定されたのは一九六二年、北朝鮮スパイの取締りを強化し、また国内反政府勢力を抑えつけたい独裁政権の下でのことだった。つまり、住民登録番号の導入は国民を番号によって管理し監視の目を行き届かせることが最大の目的だったと言えるだろう。

ジョージ・オーウェルの小説『一九八四年』で描かれたのは、架空の指導者「ビッグ・ブラザー」が国民の一挙手一投足を監視・統制する全体主義の近未来国家だった。効率性を高めすべての住民を管理しようという力は、同時に排除の側面も強化させる。韓国社会でも一部の専門家などから、効率性や利便性ばかりを強調する風潮に警鐘を鳴らす声が聞かれ、一九九〇年代に政府がさらなる効率化を目指し推進した「電子住民カード」の提案には強い懸念の声が上がった。結局実現しなかった電子住民カードとは、いまはそれぞれの機関に分散している住民登録番号に紐付けされたさまざまな情報をICチップなどに集約し、日常的に携帯する個別のカードにすべて一括搭載しようというものであった。当然それは行政処理の効率性を高めることにはなるかもしれないが、あまりにリスクが大きいとして、強い反対の声が上がったのである。

さて、翻って日本では、近年になってマイナンバーという名の国民総背番号制が導入された。一部の市民や識者からはそのリスクについて懸念や反対の声が上がった。同様の発想を持つ住民基本台帳システムはかつて一部の地方自治体がその活用に強く反対したはずだったが、その住民基本台帳に使われる住民基本コードがマイナンバーのもとになっているという。個人のあらゆる情報を番号によって紐付けし管理することで、行政手続きやその業務の効率性・利便性は高まるかもしれない。しかし同時に、日本のマイナンバーも原則として変更不可能な固有番号であり、韓国と同様のリスクを抱えていると言えるだろう。

マイナンバー導入の過程では日本政府も韓国の制度を研究し参考にしていたようである。韓国社会はその危険性を経験し、番号の活用範囲を制限する方向に進み始めている一方で、日本は新たにその制度を導入し拡大していこうとしている。韓国の苦い経験も調査しているはずの日本政府が番号の活用を無闇に拡大させていくことはないと信じたいが、まだ見ぬリスクよりも目先の便利さが優先されてしまうことは充分にあり得る。マイナンバーカードの発行が電子マネー付与のキャンペーンなどで奨励されたり、医療システムへの活用が勧められたりしている様子を見ると一抹の不安を覚えてしまう。日本のマイナンバーカードにＩＣチップが付いているのを見て、韓国の知人は驚いていた。この制度が果たしてどうなっていくのか、注視していく必要がある。

情報は国力だ

「情報は国力だ」――韓国政府の情報機関である国家情報院（国情院）がかつて掲げていた院訓、スローガンだ。韓国の情報機関というと、国情院の前身である「ＫＣＩＡ」、「安企部」を思い出す人が多いだろう。国情院は、一九六一年に中央情報部（ＫＣＩＡ）として創設された後、一九八一年に国家安全企画部（安企部）と名前を変え、一九九九年にいまの名称に変わった。米国のＣＩＡ、旧ソ連のＫＧＢのように、情報を扱う政府機関である。

国情院の職員は日常的に身元を明かすことはないため、一般の人にとっては未知の存在であり、ドラマや映画のような作品の題材になりやすい。架空の非公式機関との設定ではあったが、イ・ビョンホン、キム・テヒ主演のドラマ、「ＩＲＩＳ―アイリス―」（二〇〇九年、日本では二〇一四年に放送）もそうした機密任務を与えられた情報機関の要員たちが活躍するストーリーだった。日本でも話題になったこのドラマではソウル中心街での銃撃戦などやや非現実的な場面も描かれ、北朝鮮との駆け引きなど、ストーリーの設定は完全なフィクションであったが、そこで描かれた情報機関の活動は、韓国の人々にとって必ずしも虚構とは言い切れないリアリティをもって捉えられただろう。

現に、超法規的な陰の工作活動は、ドラマのなかだけの話ではなさそうだ。かつてのＫＣＩＡや安企部のスローガンは、「我々は陰地で仕事をし陽地を志向する」というものだった。大統領になる以前、反政府勢力として朴正熙政権から敵視された金大中（のちに大統領となった）が東京で拉致された事件などは日本でもよく知られている。また、民主化運動の過程で学生が拷問を受けたり、在日コリアンがスパイの濡れ衣を着せられたりした事件などは、ＫＣＩＡや安企部などによる情報操作や捏造であったことが指摘されている。民主化以前に起きた「ＩＲＩＳ」さながらの工作事件や、でっち上げられた冤罪事件などの歴史は、権力による情報統制への警戒心となって韓国の人々の記憶に刻まれている。もちろん、かつての非合法活動は民主化以前の話である。とは言え、国情院の職員が自らの身分を明かさず名刺を持たないのはよく知られたことであり、いまの国情院にも多くの疑惑が尽きない。

ひとつ例を挙げるとすれば、二〇一三年の脱北者スパイ捏造事件がある。脱北者は韓国におい

て否定的なイメージで語られることが多いため、新しい生活を求めてきた人たちというポジティブな意味合いを持たせた「새터민《セトミン》」という造語で呼ぼうという動きもある。この事件の犠牲者となったのは、脱北後、韓国の大学を出てソウル市の公務員として働くという、まさに新しい生活を営んでいたユ・ウソンという人物だった。そのユ・ウソンが突然、北のスパイにでっち上げられたのだ。

この事件では、少なくとも国情院の職員一人が証拠の偽造に直接関与していたことが明らかになっており、国家による捏造事件である可能性が指摘されている。スパイのでっち上げによって北への警戒心を煽ることで、政権に対する批判の目を逸らし国民からの支持を取り付けようとしたのではないかというものだ。命懸けで南へと逃れてきた脱北者が国家の都合で濡れ衣を着せられたわけだ。その後、被疑者とされたユ・ウソンの無罪と、それに関わった国情院職員の有罪は裁判で確定した。しかし、一連の事件について国情院という組織がどう関与したのか、それを証明できる人物は、事件が騒がれる最中に不慮の事故死を遂げ、真相究明は果たされないままとなった。

二〇一二年末の大統領選挙でも国情院が政治介入する不正があったとされ、大統領選投票日の直前にその現場が押さえられた。当時与党・セヌリ党の候補だった朴槿恵に有利となるよう、国情院が野党・民主党の候補だった文在寅を誹謗する書き込みを計画・実行するなど、インターネットを利用した世論操作が試みられた、というのだ。セウォル号事件のような大きな問題が起きると、背後には国情院がいるのではないかという、真偽の証明が困難な一見陰謀論のような疑惑がささやかれることも多い。「情報は国力」であると同時に「権力」にもなり、国家暴力にもなりうると考えられているからである。

情報の力は国家だけのものではない。韓国では、やはり情報を扱うマスコミに対し、国家権力の監視や、世論を導く知識人としての役割が強く期待されている。韓国のマスコミは民主化において大きな役割を果たしたと同時に、ときに独裁政権による締め付けなどによって国民を統制する手段とも化した。

二〇〇九年の法改正によって大手新聞社がケーブル放送にテレビ局を開設できるようになったが、その際、激しい反対世論が起こったのも、情報統制の歴史を韓国社会が覚えていたからだろう。韓国でも、いわゆるメディアのクロスオーナーシップ（相互所有）が認められることとなったのだが、もともとは、一部の資本が情報を独占することが権力の集中を意味するという懸念から、新聞社が放送局を持つことは法的に制限されてきた。しかし、李明博政権の頃、規制の緩和が図られたのである。ちなみに日本の場合、読売新聞社と日本テレビ、朝日新聞社とテレビ朝日、日本経済新聞社とテレビ東京、フジサンケイグループ、毎日新聞社とＴＢＳなど、メディアにおける事実上のクロスオーナーシップが以前より存在している。

マスコミに対する意識は、日韓で大きく異なる。韓国ではマスコミ一般が「言論《オンロン》」、大手新聞社などは「言論社《オンロンサ》」などと呼ばれ、メディア各社が政治的な立場や主張を鮮明にしている場合が多い。例えば、いまの韓国社会では主要五大日刊紙のうち、「朝中東《チョヂュンドン》」と呼ばれる朝鮮日報《チョソンイルボ》、中央日報《チュンアンイルボ》、東亜日報《トンアイルボ》が「保守派」の代名詞のように言われており、ハンギョレと京郷新聞《キョンヒャンシンムン》、さらにインターネットメディアであるオーマイニュースは「ハン京《ギョン》オ」と呼ばれ、「進歩派」を代表している。

地上波テレビ局には公営放送であるKBS（韓国放送公社）とMBC（文化放送）、ソウル首都圏のみのSBSがあるが、李明博・朴槿恵と続いた保守政権の頃、人事権を握られたKBSとMBCは、御用メディアとして国民からの信頼を失墜させた。そうしたなか急速に株を上げたのが、保守系大手新聞社中央日報の系列でありながら、ジャーナリストとして信頼される元MBCのアンカー、孫石熙《ソンソッキ》を擁したケーブル放送局JTBCであった。近年、「進歩」あるいは「公正」のイメージから、ともすると地上波放送局以上の信頼を獲得した。

日本のマスコミ関係者はよく、政治的立場や主張の表明に躊躇ない韓国のマスコミを「あれはジャーナリズムではない」と批判する。ジャーナリズムは中立性を保たなければならないというのだ。確かに韓国には、「ジャーナリズム」とは呼べないような偏向的メディアも一部にあると感じる。しかし、韓国において社会から求められているメディアの役割はそもそも日本と異なっている。韓国の市民は、マスコミの報道が中立的・客観的でないこともあると分かっている。どのメディアがどのような性格であるかを念頭に記事を読み、ニュースを見聞きしている。政治的な立場に依る主観的な報道があり得る、ということは韓国の人々にとって織り込み済みなのだ。

また、韓国のメディア環境が日本と大きく異なるのは、オンラインニュースの量と多様さである。韓国の新聞社は記事をすべて、いやむしろ紙面よりも多くの記事をネット上に載せている。テレビのニュースも多くが文字起こしされホームページに掲載される。そのため新聞の紙面購読をする個人はかなり少ないのではないだろうか。結果的に、新聞社は、オンライン記事周辺に収益のためのポップアップ広告を数多く配置し、あまたある記事のなかに埋もれず読んでもらうために、ときに内容とはかけ離れた、より過激なタイトルを記事に付けるようになった。

「IT先進国」と言われる韓国は、紙媒体を持たないネットメディアが豊富で、その社会的影響力も小さくない。主要日刊紙と同じように、ネットメディアの記事が広く読まれている。韓国の人々は新聞を購読するよりもネットを通じてあらゆる情報に接する。ネット上の無料記事が特定のメディアに限られている日本とは大きく異なる。かつて私が住んでいたソウル市内の自宅付近には、散歩やサイクリングが楽しめる小さな河川敷があったが、そうした野外にも無料Ｗｉｆｉが整備されており、誰でも利用が可能だった。自宅前の小さな公園にも公共の無料Ｗｉｆｉが飛んでいる。いまどき無料Ｗｉｆｉのないカフェなどまずないと言ってよいほど、市街地であればインターネットの環境に困ることはほとんどない。

韓国ではそうしたネット環境のなか、ひとつの事柄についてさまざまな記事を自然と参照することになるため、人々は日常からその膨大な情報を取捨選択していることになる。特に賛否の分かれる国内問題については、特に若い世代になればなるほど、信頼性のあるひとつの情報源を探すことより、口コミの噂から公共機関の提供する情報まで、ネット検索を中心にさまざまな情報源を漁ることで自分なりの判断を下しているようだ。もちろん、自身の考えに近い立場の情報だけに依存し、ますます偏った考えを持つようになる人々も少なくない。ただ、韓国において正しく情報を得ようとするならば、情報は恣意的なものでありうるということを念頭に、いくつか、あるいはいくつもの情報を総合し判断する癖、つまりある一定の情報リテラシー（活用能力）が必須になっているということは確かである。

「情報は国力」であると同時に、濫用されればいくらでも自分たちの身が危険にさらされうるということを人々は知っている。北朝鮮がそうであるように、独裁政権が最も恐れることのひとつは情報が統制できなくなり国民が自分自身で情報を得て考え、そして情報を発信し始めることだ。かつて「情報は国力だ」をスローガンとして掲げていた国情院のいまのスローガンは、「自由と真理に向かう無名の献身」である。情報をいかに扱うか、情報に翻弄されるのではなくいかに情報を活用するか。権力を持たない市井の人々が備えるべき情報リテラシーの真理と言えよう。

経済発展した伝統社会のひずみ

尊敬されない財閥

二〇一四年、日本でも大きな話題となった「ナッツリターン」事件は米国のジョン・F・ケネディ国際空港で起きた。大韓航空（KAL、韓進《ハンジン》グループ）の趙顕娥《チョウヒョナ》副社長（当時）が、客として乗った飛行機内で、サービスであるナッツの出され方に激怒し乗務員を降機させた事件である。日本で大きな関心を集めたことに私は驚いたが、それほど韓国における財閥企業の「存在感」が日本からは特異に見えたのかもしれない。もちろん韓国でも、関連ニュースが連日報道され、社会的に大きなイシューとなったが、日本とは少々違い「またか」という、どこか呆れたかのような受け止められ方もあった。つまり、財閥をめぐるスキャンダルは過去にも少なからずあり、このナッツリターン事件も起こるべくして起こったと捉える人たちが多かったからだろう。

日本では「そこまでしなくても」と、事件の当事者として大バッシングに遭った趙顕娥に対する同情の見方もあったようだが、韓国では彼女に同情するような視点はほぼ見られなかった。騒動が報じられると、裁判所に出廷する趙顕娥をフォトライン〈註3〉に立たせ、大勢の取材陣が取り囲んでコメントを求めるなど、犯罪者扱いの報道がなされた。頭を垂れインタビューに答えながら上目使いになった瞬間の写真が報道され、眼つきが悪いなどといった人格攻撃に近い扱いもあったのは、確かに行き過ぎであっただろう。ただ、この事件は、韓国政府国土交通部（省）に多く在籍する大韓航空OBがもみ消しに動いたとも言われ、財官癒着の疑惑にまで広がった上に、実際、彼女には有罪判決が下っているので、大きな報道がなされたこと自体は当然のことであった。

一方で、韓国社会がナッツリターンの騒動に注目し、趙顕娥への人格攻撃とも言える過熱報道を許したのには、彼女が財閥の二世であったことが理由として大きかった。韓国の人々には財閥をめぐって複雑な思いがあるからだ。韓国経済を牽引しているのはまさに財閥企業である。だから韓国の人たちにとって、財閥企業で働くことやその一員になることは羨望の的でもある。いまや国際社会において韓国企業の躍進は広く知られるところとなり、韓国社会にとって財閥は自負心の源でもある。二〇一九年の時点で、サムスン、現代自動車《ヒョンデ》（HYUNDAI《ヒュンダイ》）、SK、LGなどのいわゆる「財閥」に分類される大企業集団は三四あるとされ、その系列企業数は一四二一社、総資産額一八四六兆ウォンだという。同年、韓国のGDP（国内総生産）一七九一兆ウォンを上回っている。韓国における財閥の圧倒的な存在感が分かる。

しかし、ナッツリターンのようにひとたび経営者一族の横暴が明るみに出ると、財閥への羨望の眼差しが一気に非難の矢へと変わる。財閥や富裕層をめぐってはノブレスオブリージュ(nobless oblige)がよく言われるが、財閥には特権的な階級として、それに見合った社会的責任を果たすべき道徳性が求められるのだ。財閥の側もそうした特別な存在であることを充分に自覚しているはずなのだが、それが間違った特権意識として表出してしまうとナッツリターンのような事件に発展してしまう。

二〇一六年から一七年にかけて起きたキャンドル・デモの要因ともなった「崔順実《チェスンシル》ゲート」を通じてもまた、財閥を含む社会的特権階級による横暴に激しい非難が集まった。当時の朴槿恵《パククネ》大統領が、若い頃から個人的に親しくしていた崔順実に対し便宜を図っていたばかりか、国政運営にその崔順実が介入していたことで、国民の怒りを買ったのだった。日本では弾劾罷免に至った朴槿恵大統領に対する非難の嵐ばかりに注目が集まりがちだったが、これもまた、大統領を中心とする特権階級によって不正が常態化していたこと、そして、そうした不正を財閥が支えていたことのすべてが国民を怒らせたのだった。

崔順実は財閥の出身であったわけではない。しかし、その娘であるチョン・ユラが名門、梨花《イファ》女子大学に不正入学した疑惑が明らかになると同時に、彼女がネット上に書き込んだ、「カネも実力のうち。恨むなら自分の親を恨め」という言葉が、多くの国民の怒りを買い、特に若者たちをキャンドル・デモに向かわせた。乗馬競技の選手として特待生扱いで名門大学への進学を果たしたチョン・ユラだったが、彼女には韓国を代表する財閥、サムスン・グループから馬の便宜供与があったことなども判明した。大統領の弾劾罷免とともに、財閥に対する糾弾や、日本の経団連に当たる全国経済人連合会（全経連）の解体が叫ばれたのもそうした背景があったからだ。

韓国社会は財閥を抜きにしては成り立たない。韓国は財閥によって支配されていると言う人までいるほどだ。財閥の上位一〇位までが持つ二〇〇あまりの関連企業は、保険・証券、建築、造船、自動車、電化製品、エネルギー、衣料、食品、スポーツ、メディアなど多岐にわたる。特に新聞やケーブル放送局、広告業といったメディアを有するということは、世論への直接的な影響力を持つことを意味する。韓国の大学キャンパスでは、「サムスン館」（延世大《ヨンセ》）、「SKグローバルハウス」（延世大）、「LG・POSCO経営館」（高麗大《コリョ》）、「CJ語学館」（ソウル大）など、財閥の寄付によってその企業名が付けられた建物や施設をよく見かける。大学の経営に直接参入する財閥もある。昔ながらの庶民的な市場の近くに財閥系の大きなショッピングモールがつくられたり、大規模チェーンのスーパーが出店されたりし、市場にある個人経営の商店が廃業に追い込まれたといった話も珍しくない。

一方、売上高で韓国の名目GDPの約八割を占める財閥の従業員は、すべての雇用者のうち一割程度に過ぎないと言われ、財閥系企業への就職は高嶺の花である。にもかかわらず、そんな財閥の経営陣は多くの場合、創業者一族によって担われており、その二世、三世といった世襲の御曹司たちは、三〇代で役員や関連企業の社長に就任する。多くの国民にとって、財閥は羨望の的であると同時に、やはり不公平感を覚えさせる存在であることもまた事実である。

甲乙関係の支配

契約書などに見られる甲乙の関係に由来し、社会的に絶対的な優位に立つ財閥を「甲《カプ》」と表現することがあるが、カネと権力を背景にした「甲の横暴」、「甲乙問題《カプウル》」は、財閥にとどまらない社会全般の問題となっている。契約関係における甲と乙、つまり雇用主（あるいは消費者）と労働者（あるいはサービス提供者）の関係において、「甲」による目に余る優位が、特に二〇一〇年代、いくつかの騒動をきっかけに社会問題化した。そのひとつが、大手乳製品メーカー南陽《ナミャン》乳業をめぐる騒動だった。財閥ではないが業界大手の企業、つまり「甲」の立場にある南陽乳業が、捌き切れないほどの製品を立場の弱い販売代理店に押し付け、実質上、必要以上の商品を買い取らせることが暗黙のルールとなっていたことが分かったのだ。これは、南陽乳業製品の不買運動にまで広がった。

SNSをはじめメディアを通じて「甲」の横暴がひとたび明らかになると、「甲」であれば何でも許されるのかと、激しい非難が浴びせられる。しかし、現実的にはそうした非難の声も虚しく響かざるを得ない。結局は「乙」の立場に甘んじなければならない多くの一般市民にとって、財閥・大企業中心の甲乙関係に支配された社会構造は強固なものだと認識されているからだ。

実際、不条理を働いた財閥への社会的制裁は寛大だ。例えば、サムスン創業者一家の二世、李健熙《イゴニ》（二〇二〇年没）は、二〇〇九年に脱税で有罪が確定、一度は会長の座から退きながらも特赦を受け翌年には会長職に復帰した。その息子、李在鎔《イジェヨン》もまた、朴槿恵政権の「崔順実ゲート」に一部加担したとして有罪判決を受け服役していたが、文在寅政権の終わりに特赦を受け、その後間もなく尹錫烈《ユンソンニョル》政権下では大統領特使として、つまり国の代表として外国を訪問している。

ほかにも事例には事欠かない。韓国を代表する財閥のひとつ、ＳＫグループの崔泰源《チェテウン》会長は二〇一二年に横領の罪で実刑を受けたが、二〇一五年にやはり特赦によって現場復帰を果たしている。韓火《ハナァ》グループの金升淵《キムスンヨン》会長は、二〇〇七年に息子のケンカ相手に暴力団員などを引き連れ拉致・暴行の報復を行った事件で実刑を受け、二〇一四年にも違法経営の罪が確定するなどしたが、会長職に留まり、数年後には経営現場への復帰を果たした。

経済民主化――二〇一二年の大統領選挙で大きな争点となった言葉だ。保守と進歩、双方の候補者が共通して掲げた公約でもある。経済を民衆の手に、つまり、利益を独占する財閥を改革し中小企業の育成へ繋げると同時に、すべての労働者が充分な対価を得られるようになることで、広く国民が経済的な利益を得られるようにするというものだ。経済民主化は憲法にも明記されていながらこれまで実現されてこなかったとされる社会的な課題である。韓国経済は大きく発展したが、その恩恵を受けているのはごく一部の富裕層だけだという意識が国民の間に広く共有されている。

二〇一二年の大統領選で国民は、富裕層に属する元大統領の娘、朴槿恵に経済民主化を委ねるという選択をした。持てる者はそれに見合った社会的責任を果たすべきというノブレスオブリージュに、社会の構造的な問題の改善を託したということだ。しかし、国民の選択はすっかり裏切られ、むしろ国家の経済利益が大統領の友人たちという極めて少数の私人によって独占されていた事実が判明したのである。そして朴槿恵大統領は二〇一七年、進歩・保守の政治的な対立を超えて弾劾罷免されたのだった。

「ヘル朝鮮」を描いた「パラサイト」

二〇一六年八月一五日、日本の植民地から解放されたことを記念する「光復節」記念式典に出席した朴槿恵大統領はその祝辞のなかで、「いつからか、私たちの内部には大韓民国を否定的に描写する間違った風潮が広がっている。私たちの偉大なる現代史を否定し、世界が羨ましがる我が国を住み難いところであると卑下する新造語が拡大している」、「自己批判や悲観、不信と憎悪は、決して変化と発展をもたらすことはない」、「それは、私たち自らを縛りつけ、私たちの社会を台無しにしてしまうだけだ」と嘆き訴えた。

二〇一五年頃から韓国の若者の間で言われるようになった「ヘル朝鮮《チョソン》」という言葉。「ヘル(hell)

＝地獄」のような朝鮮（韓国）という意味で、経済格差が広がり、持てるものはますます優位に立ち、持たざる者はその報われない悪循環から脱することができない、まるで封建的な前近代・朝鮮王朝時代のようであると、いまの社会状況を自虐的に表現し、それに共感する若者たちを中心に広まった造語だ。大統領はこの若者たちの苦境に共感することができなかったのだ。

経済格差の問題はいまや世界的なイシューである。米国で二〇一一年九月に発生した抗議行動、「Occupy Wall Street（ウォール街を占拠せよ）」は世界中に広まり、日本でも東京などの各地で同様の抗議行動が起きた。二〇一六年、最終的に共和党のドナルド・トランプが選ばれた大統領選挙の民主党予備選で、本来無所属であり「民主社会主義」を標榜するバーニー・サンダース上院議員が大統領候補として少なくない支持を集めたのも、そうした流れのなかにあったと言えよう。

二〇一九年のカンヌ国際映画祭「最高賞」の受賞に続き、二〇二〇年のアカデミー賞で作品賞、監督賞、脚本賞、国際長編映画賞の四部門を受賞した韓国映画「パラサイト　半地下の家族」（原題：寄生虫《キセンチュン》）が描いたのもまさに韓国社会が苦しむ経済格差の問題だった。非英語作品のアカデミー作品賞は初めてであり、その快挙は日本でも大きな話題となった。

日本では、「パラサイト」の邦題サブタイトルにもなっている「半地下」にも注目が集まった。半地下の住まいは世界的にも珍しい居住形態のようだが、それもそのはずだ。この半地下は、南北関係の緊張をきっかけに一九七〇年代、新築の低層住宅に設置が義務付けられた防空壕に由来する。一九八〇年代に入ると、ソウルの人口が急増したことで住宅難が生じ、その防空壕を居住空間に転用することが許されるようになったのだ。

映画を観た人は分かると思うが、完全な地下室ではなく地上すれすれのところに窓が取ってあり、室内からは道を行き交う人たちの足だけが見える。半地下の住人はそうして人々の足元を見つめながら、自身の置かれた立場や社会的地位のようなものを象徴的に感じてしまう、そんな居住形態である。窓があっても陽が入るわけではなく、そもそも防空壕の役割を与えられていた空間であるから、住居として快適であるわけがない。湿気が強くカビの温床になっていたり、換気をしようとすれば地面と同じ高さにある窓から埃が吹き込んでくる。かくいう私も、実はこの半地下の住まいで暮らしたことがある。私の住んだ半地下は人通りの多い通りに面していなかったのでまだマシな方だったが、やはりあそこにまた住みたいとは思わない。

韓国では、地下室あるいは半地下の居住空間に住む人たちが全国で約三三万戸にも上り、そのうち約九六％がソウルを中心とした首都圏に集中している（二〇二〇年、韓国政府統計庁による人口住宅総調査）。半地下はいま、居住空間として新築することが規制されており減少はしてきている。しかし、低所得者層のうち半数以上がこの半地下という居住形態に住んでいるという調査結果もある。映画にも描かれたように、地下に無理やりトイレなどの水回りを設置したため汚水の逆流が起きやすいなど、住居空間としては不適切な構造である。しかし、そこに住まざるを得な

ソウル麻浦（マポ）区のブランドアパート

い人たちがいるのだ。

韓国では、居住形態や居住地域が経済格差の象徴でもある。それなりに経済的余裕のある人たちが住むのは財閥系建設会社のブランドアパート（日本で言う「億ション」「タワマン」と呼ばれるマンションのこと）だ。都市部の一戸建ては日本ほど一般的ではない。しかし、「パラサイト」で半地下の対極として描かれた高台にある富豪の邸宅は、それをさらに超えた、到底手の届かないような居住形態だ。「パラサイト」はまさにそうしたリアリティに共感できる低所得者層と、想像でしか知ることのできないような富裕層の対比をうまく象徴として見せたと言えるだろう。

不動産事情は、近年の韓国政府が抱える最大懸案のうちのひとつである。厳しい学歴社会の韓国は、子どもの教育環境が経済格差の問題と直結している。「本人の努力次第」などといった言葉は単なる綺麗ごとにしか聞こえなくなってしまうほどである。つまり、経済的に優位に立つ家庭であればあるほど教育に資財をつぎ込むことが可能になるのだ。韓国では「先行教育」といって、学校のカリキュラムに先立ち塾などで学習内容を先取りして学ぶことがかなり普及している。先取りして学んでおけば、それだけ余裕をもって学校の勉強に取り組むことができるし、よい成績を得ることができる。受験の段階になって入試に特化した勉強に専念できるというのもある。その結果、学校の勉強は、すでに学んだことのある勉強を評価するためのものとなり、先行教育なしには内申点を稼ぐことなどできないという状況が生じているのだ。親の経済力によって、公教育に頼らない「私教育」をどれだけできるかという差が成績に直結するのである。

では、そうした経済格差がなぜ居住地域に象徴されることになるのか。韓国の主要都市では、学歴競争の弊害をなくすために「高校標準化制度」なるものが実施されており、高校入試が原則ない。「学群《ハックン》」といわれる学区ごとに進学予定の中学三年生を抽選で各高校に割り振るのである。本来は、高校入試のための勉強などせず伸び伸びと中学生活を送らせるための制度なのだが、それが副作用をもたらしている。厳しい学歴社会である韓国において、一流大学に行くためによい高校へ進学することは不可欠であるにもかかわらず、それが抽選で決まってしまうというのだ。その結果、抽選でどこに行くか分からないのであればどこに行っても悪くない高校の集まった地域に引っ越そう、高校に期待できないのであればよい学習塾の多い地域に引っ越そう、ということになる。その結果、人気の学群が生まれ、そこには富裕層の家庭も人気の学習塾も集まりやすくなる。そして、人気の特定地域、つまり学群のよい地域の不動産価格が上がるという構図が生まれているのだ。

また先述のように、韓国では居住形態によっても経済格差が象徴されるため、同じ学群のなかでもどのアパート（マンション）に住んでいるかによって、だいたい家の広さや不動産価値、その家庭の経済水準が分かってしまうということが起きる。同じアパート団地に住む者どうし経済水準が近いので近所付き合いがしやすいということもあるようだが、それは、同じ学群内でも別のアパート団地に住む家族とは経済水準が合わず付き合いにくいということの裏返しでもある。韓国では、物件の間取りはもちろん正確な不動産価格が容易にネット検索できるので、子どもたちもその影響を受けやすい。不動産価格にもとづく価値判断が子どもたちの間にも浸透し、同じ小学校に通う子どもたちの間で、誰それは○○アパートに住んでいるから、といったことで誇らしげだったり羨ましがられるとか、肩身の狭い思いをしてしまうといったことが、実際に起きている。

「N放世代」の苦悩

経済格差が世代を越えて引き継がれる韓国社会は「スプーン階級社会〈註4〉」と言われる。親の経済力や名声など社会的ステータスによって「金のスプーン」をくわえて生まれた者に、「土のスプーン」をくわえて生まれた者はどう足掻いても到底適うわけはない、生まれながらにして決まった人生を逆転させることなど不可能なのだ、という階級化した韓国社会において感じる閉塞感を表現し流行した言葉である。経済格差が広がるばかりで個々の能力ではどうしようもなく希望の持てない状況を表現したのが、先にも見た「ヘル朝鮮」であった。

若者たちのそうした絶望感を示す言葉には、「三放世代」という言葉もある。韓国語では「諦める」ことを「포기하다《ポギハダ》（放棄する）」と表現するが、恋愛・結婚・出産という、人生の重要なイベント三つを「放棄」せざるを得ない世代ということだ。この「三放世代」は進化し、恋愛・結婚・出産に加え、友人関係さえも放棄せざるを得ない「四放世代」が登場。のちに少しずつ放棄せざるを得ないものが増え、放棄すべきものを不定数で表現した「N放世代」という言葉が広く言われるようになった。

韓国の若者たちは、「お金がないから結婚できない」とよく言う。出産はともかくとして、お金がなければ恋愛も結婚もできないのだろうか。かつて韓国では、結婚時、新郎が家を、新婦が家財道具をそれぞれ揃えることが慣わしとされていた。新郎側に課された「家」というのは持ち家を意味するのであり、それは新郎本人というよりも新郎の両親が用意するものであった。しかし当然ながら、持ち家を用意するということはそれほど容易なことではなく、多くの場合、新郎の両親は住宅ローンを組み息子名義で持ち家を準備することになる。それでも難しいということになれば、「伝貰《チョンセ》」という制度をつかって息子夫婦のために家を用意する。

伝貰というのは韓国ならではの制度で、もともとは「伝貰バス（貸し切りバス）」のように使われる言葉だったが、まとまったお金を家主に預けることで住宅を一定期間貸切るというシステムを指すようになった。家主に預けた伝貰のお金は契約満了とともにそのまま借り手の元に戻ってくる。家主は伝貰のお金を財テクに回すことで家賃に相当する収入を得ることになるのだが、今の日本のような低い金利では成り立たないシステムである。しかし、戻ってくるとは言え、一定期間預けなければならない伝貰にする大金がないとなると、やはり家を準備することができないということになるのだ。

もちろん、そうした古い慣わしに囚われずに婚姻届を出すだけで結婚するカップルもいるし、結婚がすべてではないと婚姻届などせず同棲、同居するカップルもいないわけではない。ただ、それでは「親不孝だ」という考えも一方では残っている。親の立場からは、子どもたちが結婚し家庭を持つことで自分たちの老後を見てもらいたいという期待もある。また、それが理想的な家族の姿であるという考えも根強い。しかし、当事者であるN放世代の若者たちにしてみれば、そんな家族の在り方もまた望むところではない。

N放世代の苦悩は、経済格差の問題から「4B運動」へと発展している。韓国語で「B」の発音は「非《ビ》」と同じで、四つのBとは、非恋愛、非セックス、非婚、非出産を意味する。「放棄する（諦める）」のではなく、若者たちはこれらを拒むのだという。特にこの4B運動を実践するのは若い女性たちだ。「ヘル朝鮮」において結婚し出産するのは現実的ではなく、生まれてきた子どもたちも可哀想だという発想から、諦めるのではなく、自身の選択としてそれらを拒む女性たちは、そもそも異性との恋愛やセックスも何ら自分のためにならない、安全ではないと感じている。恋愛関係にある男性からのデート暴力やセックスの強要、別れた後も続くストーカー行為や脅迫、リベンジポルノの危険性を女性たちがわが身のこととして考えているのだ。

こういった話をすると、韓国を蔑んで日本はマシだと安心したい一部の人たちは、韓国が女性にとって特別に危険な国であるかのように言うかもしれない。もちろん、女性たちが危険を感じているからこそこうした動きが見られるわけで、その危険を否定することはできない。しかし一方で、女性の権利について正面から議論する土壌が出来上がりつつあることも大きいと、私は思っている。当事者である女性たちがこれまで沈黙を強いられてきた古い価値観のおかしさについて声を上げるようになり、社会も少しずつそうした声に耳を傾けるようになってきているのである。

例えば、私が勤務していた弘益大学では、受講生たちが匿名で行う毎学期の講義評価のなかに、人種差別や性差別に該当するような教員の言動がなかったかどうかを問う項目がここ何年かの間に追加されるようになった。さらに毎学期、性差別や性暴力などに関する研修動画が配布され、それを視聴しなければ校務に使用する専用サイトへのアクセスが遮断されるなどの措置が取られていた。任意ではあるがオフラインの研修会も定期的に開催されていた。もちろん、これらの研修を適当に済ます教員もいるだろうが、取り組み自体が組織における構成員の認識に与える影響は少なくないと思われる。私の職場ではなかったが、講義中の不適切な発言によって職を追われることになった大学教員も実際におり、性差にもとづいた差別を許さないという社会の雰囲気が形成され始めているのを実感する。第Ⅰ章でも見たような、#MeToo 運動の広がりはこうした社会状況の現われでもある。

スペック競争社会の歪み

厳しい競争社会

韓国の新学期は、日本より一カ月早い三月からだ。桜の季節には少し早くまだ冬の寒さも残るような時期だが、受験戦争から解放された新入生の活気に溢れるのが三月の大学キャンパスで見られる光景だ。

韓国の厳しい受験競争はいまや日本でもよく知られるようになった。毎年一一月に行われる大学修学能力試験、略して「修能《スヌン》」。遅刻しそうな受験生をパトカーや白バイが試験会場まで送り届ける様子などが日本でもよく報道された。試験の当日は、官公庁や企業なども受験生に配慮し時差出勤が実施されたり、英語のリスニング試験が行われる時間帯には航空機の飛行が制限されたりする。修能の当日はまさに国を挙げて受験生をバックアップするという雰囲気に包まれる。日本で言うところの大学入学共通テスト（大学入試センター試験）に当たるのがこの修能だが、韓国の受験生にとっての意味は大きく異なる。

大学別・学部別の入学試験が制限されている韓国では、一発勝負の修能が持つ意味が必然的に大きくなる。日本の場合、大学や学部ごとに入試問題を作成するため、難易度はもちろん、出題形式や傾向などまちまちとなり、受験生個々人と入試問題の相性もあれば、当該大学・学部の対策にどれだけ力を入れて準備するかなど、さまざまな条件によって必ずしも偏差値どおりに合否が決まるものではない。偏差値が上の大学に受かって下の大学に落ちるなどといったことも珍しくないだろう。

しかし韓国の場合、個別の入学試験が原則禁止されているため、ほぼ修能の結果だけで合否が決まる。その結果、全ての大学・学部がおおよそ序列化されている。実際には、大学ごとに論述や面接を取り入れた入試方式も認められているが、それはあくまでも特別枠の扱いだ。また、修能の一発勝負ではあまりに酷ではないかと、近年は修能だけではなく、高校の内申点を重要視する推薦入試のような「随時選抜」という制度が広く導入されるようになった。ところが、大学入試のための準備期間が前倒しされ長期戦となったことで、競争はより熾烈になっている。むしろ修能のような試験の方が公平であると、随時選抜を含む特別枠をすべてなくし、かつてのように修能による一発勝負によって大学入試が行われることを望む声があるほどだ。いずれにしても、「修能で人生が決まる」と言われてきたほど、出身大学によって就職先が決まってしまう韓国での大学入試競争は想像以上に厳しい。

二〇一四年、韓国の誰もが認める大企業、サムスンが、出身大学別に定員を割り当て学長の推薦をもって選抜するという新入社員の採用方式を明らかにし、注目と批判を集めた。一一五名、七〇名、五〇名などといった定員を各大学に通知したというのだ。言わずもがな、いわゆる一流校であればあるほど割り当ての学生数は多い。サムスンからすれば一部の大学だけに偏らない多様な人材を安定的に採用しようという試みだったようだが、この採用方式には戸惑いと批判の声が上がった。サムスンは間もなくその採用方式を撤回することとなったが、学生や保護者らにとって就職活動における出身大学の重要さを再確認する出来事となった。

修能によって序列化された各大学のブランドが、そのまま就職戦線に適用される。大学四年間にどれだけ頑張ってもその壁を越えるのは並大抵のことではない。こうした就職活動における出身大学差別もまた、大学入試競争を激しいものにしている。そうした現実があるからこそ、修能で少しでもよい点数を取るために受験生たちは必死にならざるを得ない。就職先によって将来が左右されると信じる者たちにとっては、まさに人生が懸かっているのだ。その結果、修能の勉強に没頭することが高校三年生の「本分」となり、それを全面的にバックアップするのが高校三年生の親たちにとっての義務となる。子どもを持つ親同士の会話で、「高校三年生の親だから」となれば、「あぁ、大変ですね」と、その次の言葉が継がれなくなるほどの同情が集まり、何でも許されてしまうかのような雰囲気になる。それほど、社会が共通して認めるほどの熾烈な受験戦争が高校三年生とその家族を待ち構えているということだ。

しかし現実は、よい大学に入ればそれですべてが終わるわけではない。出身大学による就職差別もあるが、大学四年間の成績もまた就職において無視できない要素になっているからだ。大学の講義よりも部活やサークルの活動、あるいはアルバイトに没頭した四年間を過ごし、モラトリアムを満喫する、そうした時間も人生において無駄ではない、などといったひと昔前の日本で通用したような考え方は、韓国ではあり得ない。韓国の大学生は、いかに「A＋」の好成績を卒業までに揃えるか、必死だ。期末試験などに失敗し良い成績を取れそうもないと自覚した科目では「Aが駄目ならF（落第）にしてください」と、成績評価が出る前から担当教授に申し出る学生すらいる。大学によって多少システムは異なるが、次の学期以降に再履修をすれば良い成績が取れそうだと見込んでのことのようで、「F」であれば再履修し新しく出た成績のみが記載され、一度落第した事実は分からなくなるという目算らしい。

勉学のために休学という矛盾

大学四年間の成績ばかりではない。学生たちは在学中、「スペック」を高めるのに必死だ。スペックとは、パソコンの性能を示す数値のように、自身の履歴書に書ける「性能」、つまり英語の点数や資格、受賞歴、海外留学やボランティアの経験などのことを指す、主に就活において使われる用語だ。

特に英語は必須だ。日本企業の海外駐在員に求められる英語試験TOEIC（九九〇点満点）の基準が七三〇点程度などと言われるのに対し、韓国の就職活動では「八〇〇点以上が基本」、「八〇〇点ないと恥ずかしくて履歴書に書けない」などと言われるほどだ。かと言って、韓国の大学生が皆、英語を得意とするのかと言えばそうでもない。訓練すればある程度伸びるTOEICの点数について学生たちは、「あくまでひとつのハードル。これだけ頑張ったという誠実さを志望企業に認めてもらうためのもの」と割り切っていて逞しい。

韓国の企業がスペックを重視するのには、新卒人材に即戦力を求めるからであると言われる。日本の企業は多くの場合、はじめの三年間を教育期間と捉え、OJT（On-the-Job Training、現場の実務を通じて社員を教育する制度）などを通じて少しずつ自社の戦力として一人前に育てていくという考え方がある。それは、崩れてきたとはいえ年功序列・終身雇用の慣習が未だに残る日本の企業文化ならではの発想であり、韓国の企業には新人に時間をかけて育てるという発想はほぼないと言ってよいだろう。また、最近ではＡＩ面接の導入が図られるなど、ますます画一的な採用方法が導入され、学生たちはスペックを整え、模範解答を学び準備することで就職に備える。その過程において自身の生き方や価値観を顧みるような余裕もなければそのような必要性もない。

学歴、英語のほか、日本語や中国語などの外国語能力、留学の経験やボランティア、社会貢献活動の経験。企業などが主催する商品開発アイディアコンテストといったイベントにおける受賞歴や、学内外のサークルなどでの役職（単なる活動経験ではない）、企業におけるインターンシップの経験も重要なスペックだ。近年では、美容整形も一種のスペックだなどといった話がまことしやかに言われている。第一印象は仕事をする上でも重要であるから、それを美容整形によって手に入れられるのであれば必要かもしれない、というのが一部の肯定的な意見である。

私はこれまで韓国の大学で、日本企業への就職希望者を指導してきた。そのなかで、履歴書やエントリーシート作成のために、日本企業でよくある質問として学生に「成功体験は？」と尋ねると、ほとんどの場合、何らかの表彰状や証明書が発行されるような実績を挙げ、それがない学生は「成功した経験がありません」と答える。数値化・客観化できない自分なりの価値観など、そこには存在しないのだ。このスペック至上主義の就職プロセスには、いくら即戦力を求めているとはいえ、やはり疑問を禁じ得ない。そうして就職した企業での社会生活に幸せを感じることができる者は果たしてどれだけいるのだろうか。

ところで、韓国の大学は休学した場合、学費が一切かからない。日本の大学、特に私立大学はたとえ休学しても「学籍管理」などという名目で安くない費用を支払わなければならないのが通常だろう。しかし、韓国の男子学生はほぼ兵役のために休学をしなければならないため、休学に費用がかかるなどというのはあり得ないのだ。

もともと朝鮮戦争停戦後の一九五三年から始まった徴兵制度だが、当初の服務期間は三六カ月だった。それが近年少しずつ短縮され、二〇二〇年からは一八カ月と、かつての半分にまで短くなっている。〈註5〉それでも最短で一年半もの間、軍人として厳しい訓練と自由のない軍隊生活を過ごすわけであり、頭の柔らかい二〇代前半の貴重な時間を「浪費している」と感じる学生は多い。そのため、学生によっては、この徴兵の期間にコツコツと日本語など資格試験の準備を済ませ復学する学生もいる。もちろん配属先にもよるのだが、訓練後の自由時間などを自己啓発に充てる奇特な学生も少なくない。

しかし、それも裏を返せば、早くから準備をしておかなければ成功することができない韓国の厳しい就職事情がある。徴兵のために休学する男子学生も多いが、休学が無料であるから違う理由で休学する男子学生もいるし、そもそも徴兵のない女子学生も休学する。韓国では、休学がそれほど特別なことではないのだ。韓国の大学生にとって、夏休みや冬休みといった長期休暇は専門学校などに通ってスペックづくりに精を出すのが当たり前となっており、学期中よりも夏休み・冬休みの方が忙しいという学生も珍しくない。夏冬の長期休暇だけでは足りず、留学や海外ボランティア、あるいは国内であっても専門学校に通うために休学をするというケースも少なくない。勉強で忙しくなるから大学を休むという、大学生として本末転倒のことのようにも思う。しかし、大学の成績も疎かにできないなか、就職のためのスペックが足りないとなれば、休学をしてでもスペックを高めるしかないのである。韓国の多くの大学生には、休学中はもちろん、夏休みや冬休みであっても、モラトリアムなど許されないのだ。

「ヘル朝鮮」からの脱出

格差社会が深刻化し、持てる者ばかりが富み、持たざる者がますます貧困に追いやられていく状況に、韓国社会全体が危機感を抱いている。二〇一二年にあった大統領選において、各候補が「社会福祉」や「経済民主化」を訴えたことや、不動産政策によって支持率を落とし政権交代を許した文在寅政権への評価からもそれが窺える。いまの韓国社会において、「勝ち組」になれるかどうかは文字通り死活問題だ。若い世代にとってそれはより深刻である。「N放世代」といった用語が示すように、経済的困難がゆえに恋愛・結婚・出産、さらには人間関係や趣味などのあらゆる私生活を諦めなければならない若者が増えている。何とか入ることができた大学でも、高い学費によって卒業するまでに借金を重ね、新社会人としての生活を「不良債務者」としてスタートしなければならないケースも多いという。

しかし、就職してからも競争は続く。業務内容に関係なく英語の点数や資格試験に合格することが求められ、昇進のふるいにかけられる。大企業に入っても、競争に勝ち残らなければ会社を去り別の道を模索しなければならなくなる。だいたい四〇代後半になってくると、自分が出世コースにうまく乗っているのかそうでないのかが分かるため、そこそこの退職金を受け取って独立や起業を考えたり、自営業に挑戦したりすることになる。ある財閥企業などは、「四五歳定年制」などと揶揄されるほどだ。

韓国の就業者のうち自営業者が二四・六％（日本は一〇・〇％、二〇二〇年）と非常に高いのも、そうした背景があるからだという。韓国は、平均勤続年数一年未満の労働者が三一・五％と、日本の八％、転職社会と言われる米国の二一・六％と比べても格段に高い数字になっている（二〇一八年統計）。勤続年数一〇年以上の割合で見ても、日本が四割を超えるのに対し韓国は二割程度だというから、韓国の就業者がいかに短期で次の職へと移っているかが分かる。

また、大企業に就職し多くの収入を得ることが人生の成功だと考える画一的な風潮が、人々を競争から一生逃れられなくしている側面も指摘できる。ひとつの目標に向かって必死に勉強する学生たちの姿には感嘆するが、「夢はお金持ちになること」などと話す若者ばかりでは寂しい。もちろん、財閥中心の経済構造ゆえに中小企業がなかなか育たず、日本のように信頼できる中小企業が少ないという事情もある。しかし、待遇や規模ばかりに注目し大企業を目指すだけの学生たちを見ていると、彼ら、彼女らの将来を案じざるを得ない。

現に、いわゆる「勝ち組」を目指すばかりの人生に懐疑心を抱く若者たちも少数ながら現れてきている。「夕方のある生活」という言葉がひと時注目を集めた。ＯＥＣＤの統計（二〇二〇年）による労働時間の長さで世界第四位の韓国では、日本と同じように、上司の顔色を窺って早く退社できない職場の雰囲気や、家庭を顧みない働き方が問題になっている。夕食を家族と共にしたり、仕事を終えた後、友人と一緒に趣味や休息の時間をゆっくり過ごす余裕を残業のせいで持てない、「夕方のない生活」はもううんざりだという価値観に世間が共感したのだ。

日本の東京大学に当たる、いわゆる国立のトップであるソウル大学のある学生が、地元で「夕方のある生活」を過ごすために地方の下級公務員になると宣言し話題になったことがある。「ソウル大学にまで進んでおきながら、志を持って国家公務員として国に貢献するわけでもなく、大企業に入って韓国経済を引っ張っていくというわけでもない」ということが、世間的には新鮮だったようだ。しかし、共感の声とともにその「志の低さ」を批判するような声も聞かれた。そもそも地方公務員の仕事を軽視するような価値観は、行き過ぎた学歴至上主義とともに歪んでいるとしか言えないが、「夕方のある生活」をめぐって賛否の議論が起こるということ自体が、「ヘル朝鮮」と呼ばれる韓国社会の現状を物語っているとも言える。

ただ、この「夕方のある生活」という価値観が若者の間で共感を呼んだのは事実だが、その価値観を実践する若者が増えたとは言い難い。私の指導した学生たち（特に男子学生）のなかでも、いずれはそういう生活をしたいと言いながら、そのためには先ず大企業に入り死ぬほど仕事をし資産を増やした後、家族と共にゆとりのある生活をしたい、と理想を語る場合が少なくなかった。「夕方のある生活」を宣言したソウル大生に一部から批判の声が上がったことからも分かるように、「若者がそんなのでどうする？」という、余計なお世話とも言える世間の雰囲気は家族の間にも漂う。それまで面倒を見てくれた親の期待に応えなければという思いを持つ若者も少なくない。露骨で厳しい競争社会であるからこそ、子どもたちは親の苦労も知っているからだろう。

オルタナティブとしての日本

そこで、若者たちにとってのオルタナティブ（代案）として浮上してきたのが、海外への就職であり、日本への就職という選択肢だ。私が勤務していた弘益大学には、日語日文学科、つまり日本語を主専攻とする学科はなく、日本語を学ぶ学生たちは自身の専攻分野とは別に日本語を学んでいた。つまり、大学として体系的に日本への就職をサポートしているわけではなかった。それでも、毎年一五~二〇名の学生が日本への就職を考え、私の授業を受けていた。特に私の授業は、日本語がすでに相当なレベルの学生が受ける科目であったため、日本への就職を漠然と考えているだけの学生となればさらに多かったのではないかと思われる。受講生のうち、私が履歴書の添削や面接の準備など個別に指導し、実際に日本に就職した学生は数年間で一五名ほど、韓国にある日系企業や日本との関連がある企業に就職した学生も少なくない。

日本で学生の内向き志向が嘆かれるなか、韓国の学生が見せる上昇志向や目標に一途な勤勉さ、貪欲さは頼もしくもある。韓国の学生に「自分が何をしたいか分からない」などという迷いは一切ない。日本企業の面接では、「何でもやります」、「何でもやりたいです」という姿勢が強すぎて、むしろ根拠のない自信が口先だけのように思われ信頼を得られない学生がいるくらいだ。実は、人手不足で海外の人材に目を向ける日本企業が増えるなか、日本を目指す韓国の若者も増えている。「ヘル朝鮮」などと自分たちの社会に対し希望を見出せなくなった若者たちが、就職の選択肢として海外の企業に目を向けるようになったのだが、日本はその行先として最も身近な国なのである。

二〇二一年の韓国における失業率は三・七%とOECD加盟三八カ国のうち六番目に低く(日

本は二・八％で二番目に低い）、それほど高いわけではない。しかし、求職活動をしていたものの、よい就職先が見つからずに諦めたというような人々が計上されておらず、実際の失業率はもっと高いと言われている。また、失業者のうち一五〜二九歳の若年層が三一％を占めており、韓国の就職市場に若者たちが希望を見出せない状況がある。その背景には、七割という高い大学進学率による大企業志向と、中小企業の忌避が悪循環を生んでいることが指摘されている。

二〇一七年に発足した文在寅《ムンジェイン》政権の公約のひとつが「イルチャリ（일자리、働き口）の創出」であり、非正規雇用者の正規雇用転換など大胆な政策を進めたものの、やはり国内だけではなかなか国民を満足させる成果を出せなかった。その一方で力を入れたのが若者の海外就職支援策だ。政府雇用労働部（省）は「K-Move」という事業を立ち上げ、海外への就職を後押しするプログラムを進めている。「K-Moveスクール」に選ばれた大学は、海外就職のための専用プログラムを構築し、多くの学生を海外に送り出している。

夢を描く場所としての海外と言えば、米国をはじめとした英語圏を思い浮かべるのが一般的かもしれないが、現実的に考えると、言葉の壁もさることながら物価や文化の違いからくる問題、何よりも物理的・精神的な距離の問題から、英語圏よりも日本を目指す学生が少なくない。おそらく韓国語ネイティヴにとって最も易しい外国語であろう日本語（第Ⅰ章三七頁参照）は、小さい頃から日本の文化に親しんできたり、少なくとも身近に感じてきたりした今どきの若者たちにとって、それほど高くないハードルに感じられるということも大きな理由になっている。日本への就職であれば、いざとなればすぐに帰ってこられるという安心感や、家族の理解も得やすいという事情もあるだろう。

さらに韓国の若者が日本行きを考えるようになった背景に、日本企業側の事情もある。3・11東日本大震災以降、日本の若者は家族の大切さを感じるなど内向き志向が強まり、海外赴任や転勤を敬遠する傾向が強くなったという。いまの日本の若者が「内向き、元気がない」と見られているのに対して、韓国の若者は先に見たように強い積極性があり、そもそも自国の企業ではなく海外の企業に就職しようというマインドを持っている時点で、日本企業にとって魅力的な人材だ。日本企業に入って第三国への駐在などとなれば、まさに望むところと言わんばかりの意欲を見せる。海外の人材を積極的に受け入れる必要に迫られている日本企業であっても、文化の違いを埋めるのに苦労するなか、相対的に日本と近い慣習を持った韓国出身の若者は受け入れやすいという事情もある。さらに、徴兵を経験してきた韓国の男子学生などは、（必ずしもよいこととは思わないが）多少の理不尽な上下関係にも耐性があるというのも、日本企業においては他の国からの人材より高評価を得やすい点だろう。

ただ、いまや充分に「先進国」と言うにふさわしくなった韓国には、サムスン、LG、現代など、日本でも名の知れた世界的企業が少なくない。こうした企業は即戦力を求めるため、初任給はいま日本企業を超える場合が多い。もちろんボーナスや手当などを考慮すれば単純比較はできないのだが、日本企業の方が給与面など待遇がよいという認識は、いま就職活動をしている韓国の学生たちの間にはあまりない。日本のメーカーから技術者が韓国企業に引き抜かれるといった話もだいぶ以前からよく聞かれた話だ。

しかし、世界的にも有名な韓国企業に就職できるのは、当然ながらごく少数の「勝ち組」だけである。韓国には「ＳＫＹ《スカイ》」と呼ばれる、ソウル大学・高麗《コリヨ》大学・延世《ヨンセ》大学というトップ３の大学があるが、このＳＫＹ出身でなければ大企業は容易でないという現実がある。そうなると、実力や自信があっても、たった一度の修能によって振り分けられた大学がＳＫＹ以下だというだけで、世界的に有名な大企業を諦め、系列会社であったりそれなりの規模の準大手であったりを目指すことになる。それであっても、やはりすべての若者がそれなりの規模の企業に入れるわけではない。大企業志向の強いなか、名もない中小企業への就職は、それだけで挫折のように言われてしまう。それでも近年の就職難のなか、就職口があるだけでもありがたいはずなのだが、画一的な価値観を持って就職活動をする学生たちにとって、大企業でなければ満足度が低くなりがちだ。

しかし、中小だとしても海外の企業となると別だ。そもそも海外の企業について本人はもちろん、周囲も家族も詳しくない。無名の企業であっても「外資系」への就職となるのだ。また、日本には中小企業とは言っても、業界で名の知れたトップ企業である場合もあれば、待遇などの面で大企業に引けを取らないケースも少なくない。そうした点からも韓国の学生たちにとって、いま日本企業は魅力的な選択肢となっている。求人だけをみると韓国の企業に比べ初任給はそれほどでもないが、韓国に比べスペックを重要視せず潜在能力を評価してくれる日本企業の良さに気付いた韓国の若者たちにとっては、日本が「ヘル朝鮮」からの脱出口のひとつになっているのだ。

ただし一部では、韓国から就職した若者と採用した側の日本企業の間で行き違いも起きている。例えば、現場主義と言われるような日本企業の文化や、「報連相」などを重視する組織文化に、韓国の学生は自分が軽視されたと感じ、「大学まで出た自分に何をさせるんだ」と不満を覚えてしまうケースが見られる。逆に、韓国の学生がデスクワークを好み現場に出たがらなかったり、スタンドプレーが目立ったりする様子に、日本企業が戸惑ってしまうケースもあるようだ。初めの扱われ方に不信を抱いて早々に辞めてしまう韓国の学生に対し忍耐力がないと判断する日本企業と、転職を自らのステップと捉え強い上昇志向を持つ韓国の学生との間には大きなズレが生じて当然だ。

もちろん、日本の学生のなかにも韓国の学生のようなタイプはいるはずである。つまり、いわゆる日本の「常識」を知っているか知らないかで、結果が異なってくる。私は学生を指導するなかでそうした日韓の文化事情を積極的に紹介していたため、教え子たちは幸いにも、日本企業への就職を果たした後に文化ギャップに苦しむことはほとんどないようだ。いまも日本で働く教え子たちに話を聞いてみると、たとえ不満を感じても、「そういうものだ」とすでに知っている事実を確認することになるだけで、自分なりの対処ができている。彼女、彼らの満足度は総じて高い。諸事情により日本企業を辞め韓国に戻らざるを得なくなった何人かの学生から話を聞いても、日本企業で働けたこと自体についてはよい経験だったとポジティブに考えており、その経験を活かし韓国で満足のいく再就職を果たしているケースも見られる。

ただ実際には、韓国の若者は日本企業に誤解を持ったまま失望し、日本企業もそうしてすぐに辞めてしまう韓国の学生に失望するという悪循環が一部で起きている。「ヘル朝鮮」から脱したい一心で短絡的に日本への就職を決めてしまい後悔する一部の若者にも問題があるが、人手不足を補いたい一心で安易な採用をしてしまっている一部の日本企業や、採用数という実績を上げるためだけに無理な就職斡旋を進める一部の心ない業者や日本語学校の存在も問題を助長していると思われる。

日本が好きだ、日本に住みたいという理由だけで、日本企業への就職を目指す学生も少なくない。しかし、やはり異国の地で仕事をするというのは、旅行などでその国を訪れるのと大きく異なる。逆に、海外から人材を雇うということは単に人手を補うということとは違う。私が日頃から学生たちに話していたことでもあるが、お互いに異なる文化を背景に持った者同士が同じ職場で多くの時間をともにするには、好きな部分はもちろん嫌いな部分も含め、客観的な事実を確認した充分な相互理解のプロセスが必要だ。それはおそらく、異なる政治文化や歴史、社会構造を背景に持ちながらも、ひとつの懸案をともに解決していかなければならないはずの隣国関係にも言えることなのではないだろうかと思う。

【註】

〈1〉例えば、一九七五年に二一名の在日コリアンが逮捕され一六名が死刑を含む有罪判決を受けた事件は、「在日同胞留学生スパイ事件」、「学園浸透スパイ事件」などとして知られている。彼らは、当時の韓国中央情報部（ＫＣＩＡ）から北の工作員として韓国に侵入したなどとされた。国家保安法違反の容疑で捕まり、獄中生活を強いられた。

〈2〉ほかにも、二〇一四年には、民間の信用情報企業「コリア・クレジット・ビューロー（ＫＣＢ）」の社員が、派遣先だったＫＢ国民カード、ロッテカード、ＮＨ農協カードが保有する一億五八〇万件の口座情報を持ち出し転売する事件などが起きた。

〈3〉フォトラインとは、そこに取材対象者を立たせるために、地面にテープを貼るなどした目印のこと。もともとは取材対象者に報道陣が殺到し危険になるため設けられた取材規制線のようなものだったという。

〈4〉born with a silver spoon in one's mouth（銀のスプーンをくわえて生まれた）という、苦労を知らない裕福な家に生まれたことを意味する英語の慣用句に由来する。

〈5〉兵役の期間は、所属先によって違いがある。二〇二二年の時点で、陸軍・海兵隊は一八カ月、海軍は二〇カ月、空軍は二一カ月である。

IV 韓国という国のかたち

声を上げる社会

안녕하십니까?（アンニョンハシムニカ？）——直訳すれば「安寧にお過ごしですか？」。「こんにちは」のように日常生活で人に会った際に使われるごく一般的な挨拶だ。もうだいぶ以前の話になるが、二〇一三年末、この「安寧にお過ごしですか？」という挨拶のことばが韓国社会で大きな話題を呼んだ。

事の始まりは、高麗大学キャンパス内の掲示板に貼り出された「アンニョンドゥルハシムニカ？」と題された「大字報《デジャボ》」だった。大字報とは主に大学街に貼り出される大きな字で書かれた文章のことで、日本のメディアでは「壁新聞」などと訳すことが多い。ただ、かつて中国の民衆が自身の見解や意見を示すために貼り出した大型の掲示物に由来していると言われる韓国の「大字報」は、単なる情報伝達のための壁新聞ではなく、人々に何かを訴えかけるために書かれる「主張」であり、韓国ではかつて学生運動の重要なツールでもあった。日本で言うところの「立て看」といったところかもしれない。

このときの大字報に書かれた「안녕들 하십니까?（アンニョンドゥルハシムニカ？）」では、「들（ドゥル）」の入った表現が使われ、人々に呼びかけるニュアンスが含まれていた。高麗大生、ジュ・ヒョヌさんが模造紙二枚を使って書いたこの大字報には、韓国社会の底辺で苦しむ庶民の苦痛が

高麗大学のキャンパスに次々と登場した「大字報」。左側の２枚がジュ・ヒョヌさんの大字報（写真提供：聯合ニュース）

訴えられていた。それが、フェイスブックなどのＳＮＳを介して広まり、これに倣って自分なりの問題意識について「アンニョンドゥルハシムニカ？」と問いかけるものや、「안녕 못 합니다（アンニョンモッタムニダ）」、つまり「安寧に過ごせません」などと呼応する大字報が、オフ／オンライン問わず、他大学や高校、一部の芸能人などの間にも広がり、一カ月余りの間に一〇〇〇件を超える大字報が韓国社会の各所で見られるという、一種の社会現象のようになった。

ジュ・ヒョヌさんがこの大字報を書いたきっかけは、ある労働運動の様子をニュースで知ったことだった。公共鉄道民営化に反対する労働者のストライキが弾圧される様子に、ここで黙っていてはいけないと感じたという。労働者にとってストライキは自分たちの立場を守るための正当な権利行使のひとつである。彼は大字報を通して、鉄道民営化はもちろん、当時の朴槿恵大統領誕生をめぐって話題となっていた選挙への国家権力介入疑惑や、地元住民の反対を押し切って建設されようとしていた韓国電力の高圧送電塔問題、非正規雇用の増加、ますます激化する競争、学歴による格差など、当時注目を集めていた社会問題について、自分たちはそれらを傍観していてよいのだろうか、と訴えた。

「IT大国」と言われる韓国ではいまや政治運動や市民社会もインターネット掲示板やSNSを駆使するのが当たり前だ。そうしたなか、白い模造紙にマジックペンの大きな手書きの字で思いを綴っただけの、とてもアナログで古典的な大字報が、インターネットというデジタルな経路を通じて社会的な影響力を持ったというのは、新鮮で興味深い。また、渦中の労働者が自らも大字報を作成し、「迷惑をかけて申し訳ないが理解してほしい」と若者に応える姿も見られ、大字報が世代や立場を越えたコミュニケーションの手段にもなった。

一九九七年のアジア通貨危機以降、韓国社会は新自由主義経済の路線を取ったことで、大企業による無理なリストラや労働搾取などの弊害が生まれるようになった。資本権力の論理に苦しめられる労働者や地域住民、若者や社会的弱者の窮状。まさに日本社会もいま直面している経済格差の問題は、二〇〇〇年代の早くから韓国社会で指摘されてきた。社会で声を上げられないでいる者たちの現状と苦悩を代弁するかのように、ジュ・ヒョヌさんは大字報で次のように訴えた。

「私はただ問いたいのです。安寧でいらっしゃいますかと。何事もなく過ごされていますかと。他人のことだと目を背けていて何とも思わないのでしょうか、ひょっとして〝政治的無関心〟という自己合理化の後ろに隠れていらっしゃるのではないですかと。もし、安寧に過ごせないのであれば、大声で叫ばないではいられないでしょう。たとえどんなことについてであってもです。だから、最後に問いたいのです。みなさん、アンニョンドゥルハシムニカ？」

日本社会と同じように、近年の韓国でも若者の政治的無関心が指摘されてきた。いまの若者は「沈黙と無関心を強いられてきた世代」とも言われる。激烈な大学入試が終わっても、次は就職戦線に備え、大学の授業だけでなく英語や専門学校の勉強、そして高い学費のためにアルバイトに追われ、社会に関心を向ける余裕などない毎日だ。ところが、二〇一三年の「アンニョンドゥルハシムニカ？」という問いは、多くの社会問題が他人事ではなく自分自身の問題でもあり、無関心ではいけないということを若い世代に改めて気付かせたのだった。

高校などの教育現場に大字報の掲示をやめさせるよう当局が通達を出すなど、政府もその社会的影響力を無視できなくなるほどになった。大字報のきっかけとなった鉄道民営化の問題は広く国民に知られ、強硬姿勢を見せた政府の支持率低下にも繋がった。国民の声に耳を傾けない朴槿恵大統領はコミュニケーション不足を批判された。その後のキャンドル・デモは、人々の声に耳を傾ける政治、つまり民主主義を取り戻すために韓国の人たちが声を上げた結果であった。

デモという意思表示の方法

二〇一七年三月一〇日、午前一一時二一分、韓国の憲法裁判所は、朴槿恵大統領の罷免を宣告した。韓国憲政史上初の出来事であった。多くの市民は憲法裁の前に集まったが、私はその歴史的瞬間を、キャンドル・デモが毎週末に開かれた光化門広場《クァンファムン》で見守った。広場には大型スクリーンが設置され、憲法裁からの生中継が映し出された。宣告の瞬間、そこに集まった一〇〇人ほどの人だかりからは、「よし!」、「ヤー!」という小さな歓声が上がり、続けて拍手がわき上がった。キャンドル・デモに参加してきた人たちは、憲法裁が「国民の声に耳を傾けた」、「民心の勝利」と喜んだ。国会が弾劾訴追案を決議し、現職大統領の権限が停止された時点から次期大統領が就任するまでの四カ月余りの政治的空白を考えても、大統領罷免という事態は、韓国社会にとって歴史的汚点であるばかりではなく、国家運営という実務的な側面からも大きな損失になったと言える。しかし、この大統領罷免は韓国の人々が望み実現させた結果であった。

日本でも大きく報道されたキャンドル・デモは、二〇一六年一〇月二九日に始まり、弾劾審理の結果が出た直後の三月一一日まで、毎週土曜日、計二〇回にわたり続いた。当初は小さな集会であったが、徐々に参加する市民が増え、主催者発表で最大二三二万人(一二月三日、警察発表では四三万人)、延べ約一六五〇万人がソウル都心に集まったとされる。二〇一一年にあった日本の

光化門広場に集まったキャンドル・デモ

反原発デモが多い時で首相官邸前に約二〇万人（主催者発表）集まったとされるが、韓国の人口が約五千万人と日本（約一億二千万人）の半分以下であることなどを考えると、いかに多くの人がそのデモに参加したかが分かる。私も実際にキャンドル・デモの現場を何度も訪ねたが、百数十万人が集まったというその規模はもちろん、老若男女問わず市街へ繰り出し声を上げることで自分たちの社会を変えるのだという、その熱気と、何よりもそれが文化として根付いていることに改めて驚かされた。

私が初めてこのキャンドル・デモに足を運んだのは二〇一六年一一月一二日、三回目のデモだった。私がまず驚いたのは、メイン会場になった光化門広場の周辺、特に地下鉄五号線光化門駅の出口付近は大勢の人波でおしくらまんじゅうの状態であったにもかかわらず、将棋倒しになったり怪我人を出すような混乱が起きなかったことだ。私が居合わせた時だけでなく、後日の報道などを見てもそういった大きな事故の報告はない。〈註1〉実際に私がデモに参加した際、地下鉄出口のエスカレーターに乗って光化門広場を目指したのだが、降り口に人が詰まっていたせいで将棋倒しになるのではないかという恐怖を一瞬感じたことがあった。しかし、その瞬間、「危ない、危ない！　道を空けて！」と、誰からともなく声が上がると、すっと道に余裕が生まれエスカレーターから降りてきた人が詰まらずに進めるようになった。そもそもこういう時にはエスカレーターを稼働させてはいけないのではないのかと疑問にも思ったが、いずれにしてもその時は事なきを得た。カオスのなかにも、そこに居合わせた人々が暗黙のうちにお互い気遣うことで保たれた秩序があるように感じられた。

キャンドル・デモの象徴であるキャンドルも、それだけの人込みのなかでは危なっかしく感じられた。各自が火の灯ったキャンドルを手に持って歩き回るのだから服を焦がしてしまうのではないかと心配になった。しかし、これも各自が気を付けながらうまく持っていて、問題になるようなことはなかったようだ。もっとも、デモが回数を重ねるにつれ、一本二百円程度のＬＥＤキャンドルが登場したことで、火の点いた本物のキャンドルを持ち歩く人は少しずつ減っていった。キャンドルについては、大統領を擁護する与党議員の一人、キム・ジンテが、「ろうそくの火は風が吹けば消えるもの」と、デモに集まる市民の声を軽視するかのような発言をし、それに怒った国民が「ＬＥＤキャンドルの火は消えない」と反発したというエピソードもある。

また、光化門広場には中央二カ所に特設ステージやスクリーン、音響設備などが整えられ、さながらミュージック・パブリック・ビューイングの会場となっていた。メインステージが見えない広場以外の位置にはパブリック・ビューイングが設置されるなどした。光化門に設置されたステージの背後には、かつての王宮で観光名所の景福宮《キョンボックン》があり、その向こうに青瓦台《チョンワデ》、つまり大統領府がある。デモに集まった人々は光化門広場に腰を下ろし、青瓦台の方向に声を上げた。

デモは、ステージ上の本プログラムが終わると青瓦台に向け行進を始める。事前に決められたルートに従って声を上げながら行進するのだ。しかし、青瓦台への道はある程度のところで警察車両によって閉鎖され最後まで辿り着くことができないようになっている。デモ行進の最前線では義務警察〈註2〉と呼ばれる警察のデモ鎮圧部隊と対峙し足踏みすることになる。

義務警察は少しずつ包囲網を小さくし、デモ隊に解散するよう促す。強制解散に至れば激しい衝突も起こりかねない状況であるが、デモ隊は「平和的なデモ」を呼びかけ、警察の側も暴力的な鎮圧手段をとることはなかった。平和的なデモのおかげで私もデモの最前線まで行き、そこに配備された義務警察の顔を間近に見ることができた。彼らは兵役でそこに配備されている。ヘルメットのシールド越しに見える彼らのまだあどけない表情に心が痛んだ。兵役の時期が少しずれていればデモの側にいたかもしれない若者たちは、デモ隊に参加する同世代の若者たちをどんな気持ちで見ていたのだろうか。

二〇一六～一七年のキャンドル・デモは、かつての反政府デモとは異なり大衆性に気が遣われ、平和的にデモを行うという意識が貫かれていた。光化門広場のステージ上では、コメディアンによる前説やさまざまな立場の市民による短いスピーチとともに、プロの歌手や芸能人によるエンターテインメント性の高い歌やダンスが披露され、本プログラムの前後を含め数時間の間、ほどよく楽しめる構成が工夫されていた。LEDキャンドルを売る露天商のほかにも、商魂たくましい屋台がそこここに軒を連ね、小腹を満たしながら、ところどころの路上では酒宴も開かれたりと、一部ではまさにお祭りの様相が見られた。

「平和的なデモ」の実現には、光化門広場のあるソウル市のバックアップ体制が一助となっていたように思う。ソウル市職員が会場整理に出てきていたり、市庁舎の壁には、周辺に一般開放されているトイレの案内地図が貼られていたりと、混乱を生じさせないだけでなく、気軽にデモに参加できる環境が用意されていた。近隣のお店や民間の建物なども、デモ参加者のためにトイレを開放するなど協力的であった。警察はデモのために光化門広場周辺の片側三～五車線の大きな道路を車両封鎖し路上に人々が座り込むことを容認していた。首相官邸前デモのために東京都が都営施設の一部を開放したり、六本木通りや外堀通りの一部を全面交通止めにして開放したりするようなものだ。日本ではなかなか想像がつかない環境である。

一方で、イベント会場さながらの設備などが用意された一連のデモが終結するまでには、約一億ウォン（日本円で一千万円以上）の赤字が出たという。しかし、そのことが報道されると、二日間で約二万一千人から約八億八千万ウォンの寄付金が集まり事なきを得たそうだ。

民主主義のかたち

私は、韓国のこうした政治参加の方法を手放しにすばらしいと絶賛するつもりはない。デモのような手段に訴えざるを得ない状況がそうさせているという側面もあるからだ。また、それぞれの社会にはそれぞれの歴史的経緯や社会構造的な背景があるわけで、日本社会がそれを見習うべきだと安易に言うつもりもない。さまざまに異なった条件を度外視し単純比較するべきではなく、少しでも冷静にその社会のことを理解したいと思っている。とは言いながらも、実際に市民が自身の声を上げるその現場に居合わせてみて、やはりその熱気に圧倒され心を動かされたのもまた事実である。社会への不満や希望を自由に発信し議論する文化をうらやましいとすら思った。

日本社会に住むおそらく多くの人たちと同様、私も「デモ」に馴染みがない。韓国に行ってからデモに遭遇する機会は増えたが、正直に言うと、未だにデモは苦手だ。たとえそれが正しい主張であると思っても、たくさんの人たちの前で威勢よく叫ぶという行動に合流する勇気はなかなか持てない。そもそも天邪鬼の気がある私は、多くの人が同じ方向を向く空間というもの自体が苦手だ。しかし、一度くらいは行っておこうと思って訪れたあのときのキャンドル・デモに、私はほぼ隔週で足を運ぶことになった。社会を変えようとするその熱気と、実際に社会が変わろうとするその現場を見逃すまいという気持ちに駆られるようになったのである。

デモが頻繁に行われ、政府が国民の声に動かされる韓国について、「ポピュリズム」、「不安定な社会」、「未成熟な民主主義」などと否定的に捉える日本社会の目は少なくない。「民度が低い」などといった蔑視を向ける残念な人に出会うこともしばしばである。しかし、デモを行うことは人権のひとつである「集会の自由」に当たるものであり、民主主義社会において許された正当な意思表示の手段なのだ。日本では、デモを「テロ行為とその本質においてあまり変わらない〈註3〉」などと放言した与党の国会議員がいたが、のちに謝罪したとは言え、民主主義そのものを否定するかのような発言を許す社会を成熟した市民社会とは言えないだろう。

韓国のキャンドル・デモが始まった当初、日本社会はそれを冷ややかな目で見ていた。在韓邦人や旅行などで韓国を訪れている日本人を対象に、在韓国日本大使館が流す安全情報は、「デモに近付かないように」と注意を促していた。もちろん政府としては万が一があってはいけないという立場から、大規模デモの情報がある際にはほぼ毎回同様の注意喚起を行っている。しかし一方で、その文言に過剰反応し必要以上に不安がる人や、注意喚起を額面通りに受け取り「デモは危険」とだけ認識しているような人もいるようだ。

もちろん、突発的な事故が起こらないとも限らないわけだから注意するのに越したことはない。

ただ、それをもって、声を上げる韓国社会の民主主義を蔑視するような姿勢をとることはまったくもってお門違いというものだ。韓国社会が「アンニョン（安寧）」であるとは決して言えない。しかし、自分たちの社会は自分たちが変えるという主体性に満ちた社会には、可能性を感じとることができる。一人ひとりが思ったことを声に出せる、特に、そんな若者たちの担う未来には希望を感じる。

韓国では「デモのない日はない」と言われるほど、デモそのものは日常の光景だと言える。しかし、そんな韓国でも、若者の政治離れはすでに言われて久しい課題であり、それはつまり若者のデモ離れでもあった。若者だけでなく、日本社会のようにデモを否定的に見る人たちは韓国でも増えていた。特に、労働組合をはじめとする大規模なデモに嫌悪感を示す人たちは少なくなかった。デモのためにソウル都心の交通が麻痺し、市民の生活に支障を来すようなことがあったのも事実だ。保守系メディアがデモを暴徒であるかのように報道した影響も大きかったが、経済格差がますます広がり、自身の生活に精一杯の若者たちを中心に、政治的な関心は薄らぎ、社会に混乱をもたらすものとしてデモを否定的に捉えるようになっていた。

しかし、二〇一六〜一七年のキャンドル・デモは多くの若者が参加し、旧来のデモとはまた違った新鮮な雰囲気がつくられていった。そもそもキャンドル・デモの発端になったのは梨花《イファ》女子大学の学生たちによる怒りであった。政治的な無関心が言われてきた若者たちが、不条理な世の中への怒りの声を上げたのであった。

一方で、デモには家族連れの参加者も多く見られた。小学校低学年くらいのわが子に「大きくなったら今日のことにどんな意味があったのかよく考えるんだよ」などと語りかけながら歩く家族の姿が見られた。小さな子どもはそのデモにどんな意味があるのか、その時点ではあまり理解していないだろう。しかし、社会を変えようと声を上げるために多くの人が街中に繰り出す光景は、きっとその子の脳裏に焼き付いている。こうして、声を上げる社会は世代を超えて引き継がれていくのだろうと感じられた。

私が実際にデモを通じて感じたのは、やはり韓国ならではの文化である。民主主義社会において、主人公である市民一人ひとりが声を上げることがいかに当たり前のことと考えられているか。デモが民主主義の大切な表現手段としていかに大切なものと考えられているか。デモのために街頭へ繰り出すこと、声を張り上げることが何ら特別なことでなく自然な行動であるか。政治的な立場表明の発言も、そして不条理に対しデモを通して怒りを示すことも、連帯を感じることも楽しむこともすべて、この社会の日常の一部であり根っこである、ということを身近に感じることができた。

国民の声は法に勝るのか

韓国の立憲民主主義を揶揄する声のなかに「国民情緒法」なる批判がある。日本でのこうした表現が韓国の一部でも自嘲気味に使われることがあるのも事実だ。先に紹介したように、二〇一七年の憲法裁判所による大統領罷免宣告に対し、多くの国民は、「憲法裁が国民の声に耳を傾けた」と喜んだ。大統領弾劾訴追案が前年一二月に国会で可決された直後から、「憲法裁は民意に従うべきだ」といった主張も聞かれていた。しかし、これには疑問を感じる人もいるだろう。司法たるは法の規定によって判断を下すものであり、世間の声に左右されるべきではないはずだという疑問である。

これについては先に述べたように、そもそも韓国と日本では司法に対する認識の違いが大きい。ただし、二〇一七年の大統領弾劾審判における憲法裁の判断を説明するのに重要なのは、憲法裁という、日本にはない国家機関の成り立ちではないだろうか。

韓国の憲法裁は、一九八七年に制定された現行憲法の第六章に規定されており、一九八八年九月一日、憲法裁判所法の施行をもって新設された。韓国は一九八七年に民主化を果たしたとされる。同年に起きた六月民主抗争は、大統領直接選挙制を目指す改憲スローガンを掲げ、次期大統領候補だった盧泰愚《ノテウ》から「六・九民主化宣言」を引き出すことに成功した（第Ⅲ章一八八頁参照）。その後、国民投票を経て生まれた現行憲法では、直接選挙制による民主主義の実現が図られ、権威主義体制のもとで抑圧されてきた人権の保障などが制度的に整備されることになる。そうしたなか新たに設置されたのが憲法裁判所であった。民主化以前にも違憲審査のための憲法委員会なる組織が存在していたが、朴正熙《パクチョンヒ》・全斗煥《チョンドゥファン》政権下での審査実績は一件もなく有名無実化していた。しかし、民主化によって生まれた憲法裁は、それまで「国家秩序」などの名のもとに個人の権利を抑圧してきた数々の法令をその違憲性審判の対象とした。

憲法裁の権限には、大統領の弾劾審判や法令違憲審査のほかに、政党解散や憲法訴願の審判などがある。このうち憲法訴願とは、公権力による不当な権利（不）行使の統制を求めるもので、公権力の前に弱者でしかない個人の権利救済を可能にしている。日本軍「慰安婦」の問題をめぐり二〇一一年に下された、韓国政府の不作為を違憲とする審判もこの憲法訴願によるものであった（第Ⅱ章一三六頁参照）。強制力はないものの、現状の社会システムによっては充分に救済されない案件について、政治的な解決の模索を促す役割を果たしてきた。憲法裁は国民の権利を守る最後の拠り所にもなっているのだ。ときに暴走するかもしれない国家権力を牽制し、憲法の精神に基づいた規範を示す役割を憲法裁が担っていると言えよう。

だからこそ、韓国の憲法裁は積極的な違憲審査を行う。日本では最高裁判所が違憲審査の役割を担うが、政治的に機微な問題の違憲審査は避けられる傾向にあり、韓国の憲法裁とは対照的である。日本の最高裁は、たとえ形式的であるとは言え裁判官たちが国民審査などの民主的な承認手続きを経てその地位が保障されるのに対し、韓国の憲法裁は一般の事件や事故を扱う裁判所（法院）とは別の独立機関であると同時に、裁判官九名のうち三名は時の大統領に直接指名および任命されるため、政治的偏向が疑われやすい。〈註4〉そのため、むしろ政治的判決を下すことは難しく、その存在意義を証明するために国民の側に立つことを示し続けようとする。

国家権力の前に人権を守る役割を果たせないようであれば、民主化以前のようにその存在は有名無実化しかねないのである。同時に憲法裁は、自らの存在を定義付けている憲法秩序の維持が自らの存在理由にもなる。二〇一七年、大統領罷免の宣告冒頭で憲法裁は、「憲法は大統領を含むすべての国家機関の存立根拠であり、国民はそうした憲法をつくり出す力の源泉だ」と言明している。

キャンドル・デモ以降の新たな葛藤

朴槿恵大統領の罷免が決まったその翌日には、やはり光化門広場で二〇回目のキャンドル・デモが開かれた。約七〇万人（主催者発表）が集まり、祝賀コンサートや花火の打ち上げに歓声を上げ「民心の勝利」に酔いしれた。それまでキャンドル・デモを支えてきた市民組織「朴槿恵政権退陣非常国民行動」は、賛同者二二〇一名とともに、弾劾後への希望を盛り込んだ「キャンドル権利宣言」なるものを発表した。市民討論の場で募った意見をまとめたものだ。一〇項目に集約されたその内容は、公権力など一部の層による特権や富の独占を許さず、国民のさまざまな権利や政治への直接参加が公平に保証されることなどを追求するものとなった。

セウォル号の惨事とともにキャンドル・デモの大きな原動力となったのが、「ヘル朝鮮」とも言われる韓国社会の不条理に対する鬱積した不満でもあった。朴槿恵大統領罷免を受けて誕生した文在寅政権は「キャンドル革命によって誕生した」と評され、大統領自身もそう自覚した。「ヘル朝鮮」から国民を救い出してほしい、そして韓国社会を歪めてきた「積弊《チョッペ》」（積もり積もった弊害）を清算してほしい、そうした願いが新しい政権には託されたのであった。

二〇一七年五月、文在寅新大統領は「光化門大統領の時代を開く」と宣言した。選挙戦で掲げた公約を就任式で改めて言及したものだ。景福宮の背後に位置し市街からは奥まったところにある権威的な青瓦台（大統領府）を出て、光化門広場の向かいにある一般の政府庁舎に執務室を置くと宣言した。光化門に「通勤」する大統領になるとし、キャンドル・デモの象徴的な場所でもある光化門広場では、開かれた討論会を行っていくとした。権威主義的な国家運営の弊害が招いたとされる朴槿恵前政権を意識した公約だったが、文大統領が目指す新しい大統領像を示す言葉になった。

自らを国家の主であるかのように振舞い「不通《プルトン》」と批判された朴槿恵前大統領は、側近との間にすらまともな意思疎通ができていなかったことが後に明らかになった。国民一人ひとりの声に耳を傾ける政治が新しい政権に望まれていた。しかし、文在寅大統領はその約束を充分に果たせなかった。

ひとたび綻びが目に付けば批判もされるが、多くの権限が集中し「帝王的」とも言われる韓国の大統領制のもとでは、強力なリーダーシップを兼ね備えた英雄のような大統領が待望されがちだ。二〇一二年の大統領選挙は、目覚ましい経済発展を果たした朴正煕政権の時代を知る高齢者層を中心に、朴槿恵大統領の誕生が歓迎された。「英雄・朴正煕の娘」に韓国のさらなる発展を託したのだった。しかし、「崔順実ゲート」という政治スキャンダルは、大統領に英雄的な役割を期待するだけではいけないことを多くの国民に改めて気付かせることになったはずである。

しかし、その後を任された文在寅大統領にもまた国民は「英雄」のような役割を期待し、そして失望した。文在寅大統領の後に選ばれた尹錫悦《ユンソンニョル》大統領は元検察総長で、政治家の経験がまったくない人物だ。しかし、検察時代に時の政権とも対決を辞さない態度が人気を呼び、やはり「英雄」のような役割が期待されての大統領選出であった。その尹錫悦大統領は就任早々、諸般の現実問題により文在寅前大統領が実現させられなかった大統領府の移転を、強引なまでのリーダーシップでやってのけ、前政権との違いをアピールした〈註5〉。ただ、その強引さは無茶な政治パフォーマンスと捉えられ、支持率を伸ばすことには繋がらなかったようだ。

一方で、キャンドル・デモに集まった国民の怒りは、大統領をはじめとした一部の特権階級だけに向けられたものではなかった。もちろん、朴槿恵大統領とその友人である崔順実がひとつの導火線になり起爆剤になった。しかし、長期にわたるデモを支えたのは、社会的な不条理に対する怒りであり「積弊の清算」を求める切実な思いだった。植民地支配に加担した保守勢力が既得権層として残っていることや、財閥による富の独占、ますます拡大する経済格差などはもちろん、韓国社会を澱《よど》ませる、個人の力ではどうすることもできない数々の弊害や不条理、そして、セウォル号の惨事に象徴されるような、国家が国家としての役割を果たさず国民に犠牲を強いる社会、さらに、懸命に生きても報われることのない不公平かつ不公正な社会、そうしたものへの鬱積した怒りだった。

朴槿恵大統領の弾劾罷免を受けて実施された大統領選挙の過程で、文在寅候補が選挙スローガンにした「国を国らしく」という表現は、国家はあくまでも国民のために存在するという当然のことを確認したものだった。キャンドル・デモの民意が朴槿恵大統領の弾劾後を見据えて提示した「キャンドル権利宣言」が追求するのも、国民一人ひとりの権利保障や、政治・経済・社会・文化など各分野に人々が充分に参加することのできる仕組みの実現だった。

キャンドル・デモに示された民意を背負って誕生した文在寅大統領に委ねられた役割は重大かつ難題であった。キャンドル・デモが追求したのは単なる政権交代ではなく、韓国という国、社会を歪んだものにしてきた積弊の清算であった。同時に、キャンドル・デモ後の大統領選挙を通して鮮明になったさまざまな対立を国民統合の方向へと導いていく「協治《ヒョプチ》」の必要性が説かれ、文在寅は「国民すべての大統領」であることが求められた。しかし、既得権益の解体を目指すとも言える「積弊の清算」と、既得権層の人々までを巻き込んだ「協治」を両立させるという矛盾を克服することは困難な課題であった。

既得権益にメスを入れる積弊清算の試みは、いつしか左派・進歩勢力と右派・保守勢力の政争へと変質してしまった。結果的に、文在寅大統領の任期満了にともなう次期大統領選挙を前に、多くの国民は政権交代を望むようになった。しかし、それは必ずしも国民が保守政権の誕生を望んでいたということではない。もちろん前の進歩政権が交代するということはつまり保守政権の誕生を意味するわけだが、国民は変化、変革を求めていた。それができなかった文在寅政権もまた積弊にまみれていると見做されたのだ。キャンドル革命の末に誕生した当初の文在寅政権に多くの人々が積弊の清算という変革を求めたように、韓国の人々は文在寅政権がなし得なかった「公正な社会」の実現を新しい政権に求めたのである。

【註】

〈1〉残念なことに、二〇一七年三月一〇日、憲法裁判所による弾劾罷免の決定を聞いた朴槿恵支持の人々が警察車両を攻撃する過程では、三名の死者が出た。

〈2〉義務警察は兵役により配属される。かつての「戦闘警察」が再編されたものだが、二〇二三年の廃止が決まっており、兵役ではない機動隊の設置によって代替されると見られる。

〈3〉石破茂オフィシャルブログ　http://ishiba-shigeru.cocolog-nifty.com/blog/2013/11/post-18a0.html、二〇二二年八月二一日閲覧。

〈4〉裁判官の政治的偏向が常に問題になり得るとは言え、残りの六名は国会と大法院（日本の最高裁判所）がそれぞれ三名ずつ指名し大統領が任命する。また、任期は六年であり大統領の任期五年とのズレがあるため、常に時の政権の影響を受けるとは言えない。

〈5〉尹錫烈大統領は青瓦台には入らず、もともと国防部があった麻浦《マポ》区龍山《ヨンサン》に大統領府を構えた。もともとの大統領府だった青瓦台はいま何にも使用されず、観光地として一般公開されている。

新しい日韓関係——「おわりに」にかえて

韓国社会の変化は日韓関係にも影響を及ぼしている。だからこそ、韓国社会をより知ることによって日韓関係に対する見方も違ってくるはずだ。

二〇一九年、日韓関係は「国交正常化以降、最悪」などと言われる状況に陥った。その後、関係改善の兆しを見ないまま、二〇二〇年のコロナ禍によって相互の人的往来が不自由になるとともに、世界各国と同様、日韓両国政府も国内のコロナ対応に追われた。同時に、二国間関係に対する世論の関心は低下し、二〇二二年の今に至る。

「最悪」と言われた日韓関係の発端は歴史認識問題であり、とりわけ日本による植民地支配責任の問題をめぐる葛藤であった。日本の世論は、植民地支配を道義的には誤っていたと認識することはあっても、およそ八〇年という歳月が経過した問題について、未だに日本を批判する韓国の人々がいることを理解できない。日本政府が何もしてこなかったわけではないという認識も広くあるのだろう。

一方、韓国の世論は日本に対し、植民地支配の法的責任を認めないばかりか、すでに終わったこととし無下な態度を取ることに反感を覚えざるを得ない。ましてや、植民地期における被害そのものを否定するかのような発言が、日本政府の責任ある立場の人物から発せられることには感情的にならざるを得ない。日本の文化は好きだし、隣国として重要な相手だとは思うものの、そうした過去に対する日本政府の姿勢から、韓国の人々は日本のことを国として不道徳であると見ているところがある。即ち、少なくとも歴史認識をめぐる対日関係においては、韓国が道徳的であると考えているのだ。

植民地支配責任の問題をめぐってはさまざまな論点があるが、そもそも問題認識のレベルで日韓間には齟齬が生じている。日本の言論NPOと韓国の東アジア研究院（EAI）が行った二〇一九年の日韓共同世論調査において、解決すべき問題として、韓国の世論は侵略戦争に対する「日本の認識」や「慰安婦」問題、教科書問題、「徴用工」問題などを挙げているのに対し、日本の世論は歴史認識問題に対する韓国の「反日教育や教科書の内容」、「過剰な反日行動」を挙げている。つまり、韓国の世論は日本の歴史認識問題そのものを問題視しているのに対し、日本の世論はそうした問題意識を持つ韓国社会を「反日」であると見做し、その態度こそが問題であると考えているのである。

しかし、歴史認識問題を論ずる以前の、こうした認識の行き違いはいま、必ずしも日韓間においてのみ生じているわけではない。日本社会のなか、そして、韓国社会のなかでもそうしたズレが見られるようになっている。そもそも歴史認識をめぐる問題の多くは、当初より日韓の市民運動によって、植民地支配という暴力によって犠牲となった人々の救済を目的とし問題提起されてきた。にもかかわらず多くのメディアは、歴史認識の問題を日韓間の外交問題としてのみ捉えてきた。その結果、近年になって対等な日韓関係が形成されるにしたがい、歴史認識問題をめぐる日韓間の葛藤が、その友好関係を損なう要因として捉えられるようになってきたのである。特に「慰安婦」問題などは、世界的にもすでに女性の人権、戦時性暴力の問題として捉えられることが大勢になっているが、韓国においてですら、ジェンダー対立の葛藤とともに一種のバックラッシュに遭っている。

二〇一九年に日韓対立のきっかけとなった「徴用工」問題をめぐっても、韓国内では日本政府への批判とともに、対日関係をコントロールできなかった文在寅政権への非難が高まった。第I章で見たように、史実の評価などさまざまな側面から問題視された『反日種族主義』という本が韓国社会において少なからず受け入れられたのも、歴史認識それ自体をめぐる問題意識よりむしろ、左派進歩政権である政府与党に対する不満の発露であった。その結果、韓国における右派・保守勢力と日本の保守、あるいは歴史修正主義者たちが、価値観を共有する状況が生まれているのだ。

いまや韓国において、「反日」という用語は政争の具として、特に進歩勢力を貶める用語として使われるようになっている。植民地支配の問題を指摘することが短絡的に日本批判、さらには日本嫌いと捉えられ「反日」と呼ばれる。その一方で、本来は歴史的な用語であった「親日」という用語もまた然り、進歩派が保守勢力を攻撃するための用語に歪曲され使用されることが増えている。安易な日本批判を戒める人々も含め、日本に対して寛大であるだけで「親日」と揶揄の対象にされるのだ。裏返せば、日本を貶めることが左派であることの証であるかのような歪んだ価値観が生まれているのである。植民地支配の問題をめぐり、その本質から乖離した「反日」「親日」論争が起きてしまっている。

しかし、韓国内のこうした複雑な状況が日本社会では充分に理解されていない。脈絡を追うこともできない断片的な情報が氾濫するなか、旧態依然の視点からステレオタイプの韓国理解が横行している。日韓関係についても、いわゆる「国力」の差により垂直的な関係にあったかつてとは異なり、いまの日韓関係は水平的で対等なものへと変化している。日本の技術や経験を学ぼうと、「追いつけ追い越せ」と日本に競争意識を持っていたかつての韓国に対し、いわゆる上から目線で日韓関係が語られることが未だに多い。

韓国との関係について「日本は兄貴分だ」、「韓国ともしっかり連携し、協調し、韓国をしっかり見守り、指導するんだという大きな度量をもって日韓関係を構築するべきだ」と発言した与党の国会議員がいた。「日本が韓国を指導する」など、いつの時代にあっても誤った態度だが、二〇二二年に至って依然アップデートされない価値認識が蔓延《はびこ》る日本社会に心配は募るばかりだ。

社会に広がる格差や貧困の問題、少子高齢化、環境やエネルギーの問題、グローバル化のさらなる進展にともないすでに破綻を来している外国人労働者をはじめとする移民受け入れ政策の問題、また、性差別や多様化する価値観の受容をめぐる問題など、さまざまな課題が日韓両国の社会に共通している。隣国として、ともにそうした共通課題に取り組む動きもすでに存在する。日韓関係を対立構造だけで捉えるのはもはや時代遅れである。

もちろん日韓間において外交上利害が衝突する問題も少なくない。しかし同時に、外交問題だけが日韓関係ではない。より多重多層化した日韓関係に目を向けていくことが、これからますます重要になっていくだろう。パㇽリパㇽリと変化の早い韓国社会への理解は、よりよい日韓関係において不可欠のものである。しかし、それだけではない。韓国社会への深い理解は、日本社会の発展にとっても重要な参考事例を提供してくれることとなり、また、韓国を大切なパートナーとしてともに発展していくことにも繋がっていくだろうと考える。

＊　＊

本書の執筆を始めたのは二〇一六〜一七年の頃だ。この間、公私共にいろいろなことがあって何度も執筆を中断せざるを得なかった。しかも、本書でも言及したように韓国の変化は非常に早く、ひとつのエピソードを書き終えた傍から新しい出来事が起き、新しい話題が生まれた。本書を執筆する過程でも私は常に韓国社会への見方をアップデートしなければならなかった。それでも本書を執筆するにあたっては、二〇二二年末の現時点において最新の韓国事情を盛り込み、少しでも長く通用する韓国理解を提示しようと努めた。

そうこうしているうちに、私が韓国に住んでいる間にこの本を出版できなくなってしまったのは残念だった。ただ、約一九年にわたる経験と、その間私なりに考え悩んできたことをこうした形で世に出せることとなったのは幸いである。何ら実績のない私の執筆を受け入れてくださった上に、原稿が上がるのを気長に待ってくださった高文研の飯塚直さん、真鍋かおるさんには感謝しかない。特に真鍋さんには、日本の読者に伝わりやすいよう、内容はもちろん書名など全般にわたってご指導いただいた。

また、この本の執筆にあたっては、お世話になった先生方や先輩方、同僚や研究者仲間はもちろん、指導学生の皆さんからも学んだことが多い。一人ひとりお名前を挙げることはできないが、直接間接に助言をしてくださった方々、私の韓国研究に刺激とアイディア、ときに批判をくださった皆さんに、心からお礼を申し上げたい。本書が、読者の皆さんにとって、より深い韓国理解のお役に立てれば幸いだ。ひいては、そのことが日韓、日朝、東アジアのよりよい関係に資することとなれば、なお嬉しい。

なお、本書は書き下ろしだが、二〇一三〜一五年にソウル新聞社東京支局が刊行していた日本語の月刊誌『TeSORO（テソロ）』に連載したコラム「Soul in Seoul」の内容を一部含んでいる。

また、二〇一二年から毎週一回出演してきた韓国放送公社（ＫＢＳ）ワールドラジオ日本語放送「金曜ステーション」（二〇二〇年までは「土曜ステーション」）のコーナー「とっておき韓国ノート」でお話をしてきた内容とも多く重なっている。本書はそのほかにも、日頃の研究を通じて得た知見をもとに執筆している。ただし、少しでも気軽に手に取れるようボリュームを抑え、より幅広い層の読者に届くよう、学術的な作法を度外視した記述の方法を取った。引用の出典や脚注、参考文献などの提示はほぼ省略している点など、ご理解いただきたい。

最後に、約一九年にわたる海外生活をさまざまな形で支えてくれた多くの人たちに感謝したい。また、常に精神的な支えとなってくれた父と母、そして家族に心からお礼を言いたい。

二〇二二年一二月

緒方義広

緒方義広（おがた よしひろ）
福岡大学人文学部東アジア地域言語学科准教授。1976 年、神奈川県川崎市生まれ。明治学院大卒。政治学博士（延世大）。専門は日韓関係、現代韓国社会、在日朝鮮人をめぐる問題など。2022 年まで約 19 年間韓国に居住、在韓日本大使館や弘益大、延世大、梨花女子大などに勤務。韓国 KBS World Radio 日本語放送「とっておき韓国ノート」に出演中。
主な論考に『韓国学ハンマダン』（共編著、岩波書店、2022 年）、「6・25 戦争と在日同胞参戦義勇兵——李承晩政府の認識と対応を中心に」（韓国語、『亜細亜研究』179 号、2020 年）など。韓国の日刊紙『亞洲経済』にはコラム「オガタヨシヒロの韓日風景」を連載中。

※本文掲載の写真について、提供者の明示のないものはすべて著者の撮影によるものである。

韓国という鏡
——新しい日韓関係の座標軸を求めて

●二〇二三年 二 月一〇日———————第一刷発行

著　者／緒方 義広

装　幀／中村くみ子

発行所／株式会社 高文研
東京都千代田区神田猿楽町二—一—八
三恵ビル（〒一〇一—〇〇六四）
電話03＝3295＝3415
http://www.koubunken.co.jp

印刷・製本／中央精版印刷株式会社

★万一、乱丁・落丁があったときは、送料当方負担でお取りかえいたします。

ISBN978-4-87498-835-0　C0036